JN319425

COBALT-SERIES

魔女が死なない童話《メルヒェン》

林檎の魔女の診療簿《カルテ》

長尾彩子

集英社

魔女が死なない童話《メルヒェン》

林檎の魔女の診療簿《カルテ》

Contents

presented by Ayako Nagao　　*illust.* Machi Yoi

人物紹介
クラウディア
白猫の精霊。
アイスブルーの瞳。
人の言葉がわかっているらしいが…？
メルヒオール
レナーテの窮地を救った第二王子。
その場でレナーテを花嫁に指名するが、
彼とレナーテの接点とは……？
レナーテ
ミルヒ村にひとりで暮らす樹木医の少女。
自分の容姿が「魔女の特徴」と一致しているために、
貴族の父は、母と自分を捨てたのではと思っている。
ひょんなことから、顔も知らない天才博物学者の〝メル〟と
手紙を交わすようになり……？
告げ口妖精の黒うさぎ
神出鬼没。告げ口が趣味。
けして嘘は言わない…らしい。

イラスト／宵　マチ

魔女が死なない童話《メルヒェン》
前編

漆黒《しっこく》の髪に暗い緑の目をした十一歳の少年は、陰気な森の中をあてどなく歩いていた。

本来ならば供のひとりもつけなければならない立場であることは理解していたが、シュトロイゼル王国の第二王子という肩書きなど、所詮《しょせん》ただの飾り物でしかなかった。

シュトロイゼル王国では王の第一子がふたごだった場合、先に生まれたほうには玉座《ぎょくざ》が約束され、あとに生まれたほうは、国をおびやかす魔性《ましょう》の力を秘めた『忌《い》み子』とされて王宮から遠ざけられる。

十一歳になるまでは王宮で礼儀作法などを学び、その後は王国の北の辺境にある森の城に、領主という役職を与えられて送られる。

そういった慣習は前時代的であり、廃止すべきだという意見は定期的に議題に上がった。だが現国王が王位に就《つ》くと、誰もそれを口にしなくなった。ふたごの父親である国王は、国教会が祭る唯一神《ゆいいつしん》の敬虔《けいけん》な信徒であり、行きすぎた崇拝者《すうはいしゃ》でもあったからだ。

国王は魔性めいた存在を徹底的に嫌った。そして赤の他人以上に、血を分けた第二王子のことを憎んだ。魔性の子が自分の血を引《ち》いている《かろう》ことが我慢ならなかったのだろう。

あるとき、国王は第二王子を城の地下牢で異端審問にかけた。

王子に同情的だった臣下の説得により、王の子殺しは未然に防がれた。そしてその一件は何事もなかったかのように、静かに闇《やみ》に葬《ほうむ》られた。

しかし第二王子は――メルヒオール・プリングスハイムは父に手にかけられそうになったこ

とを決して忘れはしなかった。鉄の処女《アイゼルネ・ユングフラウ》に放り込まれ、棘《とげ》が無数についた扉が徐々に目の前に迫ってくる恐怖。扉が閉まるにつれて闇が濃くなる絶望。目をかばった手のひらに棘がめりこんだときの焼けつくような痛み。死の淵《ふち》から生還して五年がたった今も、そのときの傷は生々しく残っていた。手のひらや手首に斑点《はんてん》のような傷痕《きずあと》がいくつも散らばっている。その傷痕を見るたびにメルヒオールの胸にどす黒い感情が溢《あふ》れた。

なぜ僕だったのか。生まれ順がほんの少し違っただけで、なぜこんなにも明瞭《めいりよう》に兄と自分の人生の明暗が分かれたのか。父と兄を殺せば、自分の生にも光が差すのだろうか。それとももっと暗い闇に閉ざされるのだろうか。

気がつくと、メルヒオールはひらけた場所に来ていた。いつ雨が降り、そして止《や》んだのか、野を覆《おお》う草花は、水晶の欠片《かけら》をちりばめたように輝いていた。メルヒオールはその場に蹲《うずくま》った。……疲れた。父を憎み、兄を恨《うら》み、神を呪いながら生きることに疲れ果てていた。

どれほどそうしていたかわからない。視線を上げたときには、目の前に見知らぬ子供が立っていた。子供といっても、自分と同い年くらいの少女だ。彼女は花売りかなにかだろうか。薔薇《ば》薇《ら》で埋め尽くされた花籠《はなかご》を持っていた。薔薇には特に心動かされなかったが、少女の姿はメルヒオールの目を引いた。薄紅《うすべに》色の髪に黄金《きん》色の瞳《ひとみ》がめずらしかったからだ。

『……泣いているの？』

『泣いていません』

メルヒオールは冷たくあしらった。

少女はなにか言いたそうだったが、それ以上は追及してこず、メルヒオールの傍《そば》でせっせと野の花を摘《つ》みはじめた。メルヒオールは冷めた気持ちで少女の動向を見守っていた。少女は不器用らしく、花冠《はなかんむり》ひとつ作るのに相当の時間を費やした。やがて少女はひどく不格好な花冠を完成させた。さっそく自分の頭に載《の》せるのかと思いきや、少女は立ち上がり、メルヒオールの頭に花冠を載せた。

『シロツメクサの花言葉は「幸運」なのですって。いつかあなたの傷が癒《い》え、あなたのもとに今の悲しみ以上の幸福が訪れますように』

メルヒオールが啞然《あぜん》としていると、遠くから、彼女の祖父らしい老人が彼女の名を呼んだ。少女はメルヒオールに向かって淡く微笑《ほほえ》み、花籠を手にして駆けていった。

……レナーテ。

それが、シュトロイゼル王国の第二王子、メルヒオール・プリングスハイムが生涯に亘《わた》って愛し続けた唯《ただ》ひとりの女性の名である。

I

ミルヒ村と聞いて思い浮かべるものは？

そう問われれば、ミルヒ村で暮らす人々はもちろん、シュトロイゼル王国のほとんどの民《たみ》は、まずこう答えるだろう。

「りんご酒！」と。

それもそのはず。王国の市場《しじょう》に出回るりんご酒の実に七割が、シュトロイゼルの北方にある小さな村、ミルヒ村の原産なのだ。

『メルは博識だからご存じかしら。ミルヒ村にはたくさんの種類のりんごがあるの。酸味が強くて、りんご酒を作るのに適している品種はボスコープ。適度に甘酸っぱくて、お菓子作りにぴったりなのは――』

――と、羊皮紙《ようひし》にそこまで書いたところでレナーテは書き物を中断し、羽根ペンを置いた。

コンコン、とドアノッカーで扉を叩《たた》く音が聞こえたのだ。ここはレナーテが暮らす、小さな家に併設された温室である。レナーテは木製の椅子《いす》から立ち上がると、扉に向かった。そろそろ待降節《アドヴェント》にさしかかろうかという十一月の終わりだが、ここは春のまま時間がとまったように、白や水紅《とき》、赤、黄……と、色も形も様々な品種の薔薇《ばら》が咲きほころんでいた。

「レナ！　レナ、助けて！　で、出たの！」

温室の外で悲鳴を上げているのはよく知った少女の声である。レナーテは急いで扉を開けた。すると昼下がりの太陽の下、栗《くり》色の髪をした少女がおろおろと佇《たたず》んでいた。近所のりんご農家のひとり娘で、今年十七歳になったレナーテと同い年の、ハンナである。

彼女が着ている衣装は、レナーテやミルヒ村のほかの女性たちも纏《まと》うディアンドルだ。ディアンドルとはこのあたりの民族衣装で、リボンで編み上げたコルセット風のジャンパースカートに、胸元があいた白のブラウス、それから前掛けを組み合わせた服装である。

「レナー！」

ハンナはレナーテの姿を青い瞳《ひとみ》にとどめるやいなや、がばりと抱きついてきた。

「いったい何事なの、ハンナ」

「む、虫よ！　変な虫が出たの！」

可愛《かわい》いものをこよなく愛し、逆に気持ち悪いものをとことん恐れるハンナは、昔から大がつくほどの虫嫌いだった。虫が出たのに家族が不在にしているときは、わざわざこうしてレナーテを頼って自宅から飛んできた。祖父が遺《のこ》してくれたこの家で、六年前からひとり暮らしをしているレナーテは、ミルヒ村では唯一《ゆいいつ》の樹木医だった。仕事の片手間に、祖父の遺志《いし》を継ぎ、植物――主《おも》にりんごと薔薇の品種改良の研究に取り組んでいる。だから当然のことながら、植物につく虫くらいは見慣れたもので、別段恐れもしなかった。

「今日はどんな虫が出たの？　毛虫？　蛾《が》？　それとも雪虫？」

「うねうね系で、紫に黄色の斑点《はんてん》があったような……いやぁ～っ！」

「それは蛾の幼虫よ。色が毒々しいだけで、りんごにも人にも害はないから大丈夫」

「あたしの心に害をもたらすのよ！」

「わかった。それなら、行くわ」

レナーテは泣き出してしまったハンナにハンカチを渡してやると、彼女と一緒にりんごの果樹園に囲まれた道を歩き出した。早生種《わせしゅ》のりんごは秋のはじめに収穫されたが、晩生種のりんごの収穫時期はこれからだった。艶《つや》を帯びた紅《あか》いりんごたちが、降誕祭の飾りのように樹上で揺れている。

そろそろシュトレンを作りはじめないとね、とか、今年のりんご酒には高値がついた……などとたわいもない話をしながら歩いていると、道の向こうから七、八歳くらいの男の子がひとり、こちらに向かって駆けてきた。

「あら、あんた見かけない顔ね」

ハンナが男の子をじろじろ見ながら言うと、男の子は「そりゃそうだよ」と生意気そうな口調で言った。

「おれ、普段はリンデ村に住んでるんだから。母ちゃんがお産のために一昨日《おととい》から診療所に移ったから、そのあいだミルヒ村のじいちゃんとばあちゃんのとこで厄介《やっかい》になってんだ」

ハンナはそれを聞くと、表情をやわらげた。

「へぇ、それはおめでたいことじゃない！　元気な赤ちゃんが生まれるといいわね」

「元気に決まってんじゃん！　なんたって、このおれの妹か弟なんだからな！」

男の子は誇らしげに胸をそらしたあとで、ハンナのうしろにいたレナーテに視線を向けてきた。とたん、男の子の表情が強張《こわば》る。

（……怖がらせてしまう）

レナーテが男の子から目を逸《そ》らしたとき、ずいっと目の前に野の花が差し出された。

「りんごの聖女様、受けとってください！」

レナーテは、ぱちぱちとまばたきをした。

「ば、ばあちゃんが、桜色の髪に黄金《きん》色の瞳をしたお姉さんはりんごの聖女様なんだって言ってたんだ。あんたがそうなんだろ？」

「そうよ！」

偉そうに答えたのはハンナである。

「レナはこの村の救世主なんだから。いい？　よく聞きなさいよ。七年前にこの村で深刻な獣害が起こったの。りんごが実らなくなり、経済基盤をうしなったあたしたちの村はひどく困《こん》窮《きゅう》した。先代のバカ領主は淫蕩《いんとう》にふけってばかりの享楽《きょうらく》主義者で、あたしたちを助けてくれなかった。小さな村ひとつ滅んだって、どうってことなかったみたいよ。のどかで、実り豊かな現在のミルヒ村の景色からは考えられないでしょうけれど、そんなひどい時期があったのよ」

「知ってるよ！　ばあちゃんから聞いたもん。そんときに奇跡を起こして、たちどころに村じゅうのりんごを実らせてくださったのが、『りんごの聖女のレナーテ』だって！」

「待って。それは違う」

レナーテはすかさず訂正《ていせい》した。

「あのね、奇跡なんかじゃなくて、わたしがしたのは、ただ薬を――」

「まあまあレナ、わざわざ純粋なチビッコの夢を壊すことないじゃない」

「でも、ハンナ……」

「いいからお花、受けとってあげなさいよ」

「あ」とレナーテは声をあげ、花をこちらに差し出してきたまま引っ込みがつかなくなっていた男の子の前に、慌《あわ》ててしゃがみこんだ。

「ありがとう。とても嬉《うれ》しい」

レナーテが両手で花を受けとると、男の子が真っ赤になった顔を、ぐんと近づけてきた。

レナーテは、男の子の額《ひたい》に軽くキスをした。

「聖女様からの祝福だ……」

男の子は夢見心地の様子でそう呟《つぶや》くと、回れ右し、野うさぎのような素早さで道の向こうに駆けていってしまった。

「わたし、聖女様なんかじゃないのに」

レナーテが零《こぼ》すと、ハンナは笑った。

「そう思っているのはこの村であんただけよ。ミルヒ村の人は、みんなレナに感謝してる。菌に蝕《むしば》まれたりんごの木のための――いわば万能薬を、薬草から作りだしちゃったんだもの。それもたったの十歳でさ！」

「わたしはただ、祖父が遺してくれた温室に咲いていた薔薇を売り、そのお金で薬草を買って調合しただけ。そこに気温や湿度、様々な偶然がかさなって、たまたま成功したのよ。同じことをまたやってほしいと言われても、おそらく無理。現にあのあと何度か同じ実験をしてみたけれど、薬草の寄せ集めだけで滅菌《めっきん》に成功した例は、ひとつもなかったから」

「偶然だって、それだけたくさんの偶然が重なったなら、奇跡といえるんじゃない？」

「でも、聖女様はふさわしくない。ハンナ、褒《ほ》めてもなにも出ないし、それ以上言うなら、わたし、いまから虫とりに行くのやめる」

「わーわー！　それだけは勘弁《かんべん》して！」

ハンナは蒼褪《あおざ》めた。

「虫をとってくれたら、さっき焼いたばかりのりんごのトルテをごちそうするから！」

りんごのトルテと聞き、密《ひそ》かに甘いものを愛していたレナーテは、すぐに機嫌《きげん》を直した。

「え……本当？　嬉しい。ハンナ」

「レナ……」

レナーテがふわふわと笑っていると、ハンナは腰に手をあて、いきなり説教をはじめた。

「その笑顔をむやみにあちこちに振りまいたりしたらダメだからね！　男はすぐに勘違《かんちが》いするんだから！　レナは博物学者としては優秀なのに、色恋沙汰《ざた》になると鈍《にぶ》くて警戒心も皆無だから、あたし心配だよ！」

首を傾《かし》げたレナーテを無視して、ハンナは「男といえば」と顎《あご》に人さし指をあてた。

「レナが恋文《こいぶみ》を交わしている人。メルとかいったっけ。あの人とはなんか進展したの？」

「だから、恋文とかじゃないってば……！」

メルという人物は、レナーテが定期購読している小部数発行の科学雑誌『ナトゥーア』に博物学の論文やコラムを掲載している学者だ。姓は公表されておらず、『メル』が本名かどうかもわからない。男性であるのは確かなようだが、年齢は不詳である。謎に包まれた存在だが、レナーテは彼に惹《ひ》かれていた。正確には、彼がとなえる学説に。

メルの論文は大胆不敵で、時として過激でさえあった。まずメルは半年ほど前に、

《神がお造りになった生物は完璧で、不変で、絶滅したり、変化したりすることはない》

という、聖典にもとづく理論を、『それはなんの論拠《ろんきょ》もない。真っ赤な嘘《うそ》だ』と自分の論文の中でばっさりと切り捨てたのである。

『遍《あまね》く生物はもとはひとつの種《しゅ》に過ぎなかった。しかし自然淘汰《とうた》や生存競争によって生物たちは勝手に進化し、結果、多様な種が生まれた。進化の過程で絶滅した中間種もある』

この論説をメルが『ナトゥーア』で唱《とな》えてすぐに、彼は主《おも》に聖職者たちからの糾弾《きゅうだん》の対象になった。しかしメルはそれをものともしなかった。彼は自分の論説に対して起こるであろう反論をあらかじめ予想し、数々の事例を挙げて反発者をことごとく論破《ろんぱ》するという周到さをも持

ち合わせていたのである。

　自分の論説が単なる妄想《もうそう》ではなく、事実であることを、速《すみ》やかに提示してみせる手際《てぎわ》のよさがメルにはあった。

　レナーテはメルの強《したた》かな精神と賢さに憧《あこが》れて、一カ月前に思い切って、『ナトゥーア』の発行元に彼宛ての手紙を送った。レナーテはメルの論文に感銘《かんめい》を受けたこと、同じ博物学にたずさわる者としてメルを尊敬しているということを手紙に綴《つづ》った。

　返事がくることは期待していなかったが、なんと十日と経《た》たないうちに、メルからの書簡がレナーテのもとに届けられたのだ。

　少し癖《くせ》のある筆跡で、

『君とは気が合いそうです。できれば今後も長くお付き合いいただきたい』

　という一文を認めたとき、レナーテはそれこそ恋文を手にした乙女のように胸が高鳴るのを感じた。同志に出会えた高揚感だった。

　謎に包まれた、憧れの博物学者。

　メルとはすでに何通も手紙を交わしている。メルはレナーテが薔薇の品種改良に行き詰まっていると伝えれば目から鱗《うろこ》が落ちるような助言をくれるし、彼の論文で理解できなかった点について質問すれば、丁寧《ていねい》に答えてくれる。

「メルは……わたしの敬愛する博物学者なの。いわば先生のような存在なのよ」

「なーんだ。レナにもついに好きな人が！　ってちょっと期待してたんだけどなぁ～。……でも、なんかそのメルって人、変わり者っぽいよね。やっぱ恋をするなら、もっと普通っぽい人にしといたほうが無難かも……」

「心配には及ばないわ、ハンナ。だってわたし、いまはりんごと薔薇が恋人なの」

「……せっかく可愛いのにもったいないような、レナが誰かにとられなくてほっとしたような！　わーん、複雑な気持ちだよー！」

ハンナは自分の栗色の髪をくしゃくしゃと掻《か》きまわしてから、またしてもレナーテに抱きついてきたのだった。

ハンナを悩ませていた虫をとるのに時間はかからなかったが、その後のお茶の席でお喋《しゃべ》りが弾《はず》んでしまい、レナーテが帰宅したのは日暮れ近くになってからのことだった。

郵便受けを確認すると、新聞のほかに何通も封筒が入っていた。郵便物が多いのはいつものことだ。多くは村の農家の人たちからの仕事の依頼である。りんごの木に虫こぶができただとか、葉の色がなんだかおかしいとか、そういった相談事だ。そこにときおり、薔薇の品種改良に関する要望の手紙が混ざった。

レナーテは手紙の束を持って、温室の隣に建つ小さな木組みの家に入った。

かつては祖父と母とレナーテの三人で暮らしていたこの家には、もうレナーテしかいない。

レナーテは母を八年前に、祖父を七年前に相次いで亡くした。父はいなかった。レナーテは父がローゼンベルグ子爵《ししやく》で、現在も王都で存命だということは知っていたが、父はレナーテを娘だとは認めていないだろう。

レナーテの母は、父のいっときの恋人に過ぎなかった。父は若い頃に肺を患《わずら》い、静養の地としてたまたまミルヒ村を選んだ。そしてたまたま母と出会い、愛しあい、その結果、母は未婚のままレナーテを身ごもった。父はその後、母に手切れ金を押しつけて、もう二度とはこの村を訪れなかったという。

父が母と徹底的に縁を切った理由は、はっきりしなかった。母に訊《たず》ねたこともあったが、『大人にはいろいろとあるのですよ』と、やんわりとはぐらかされてしまった。

レナーテの記憶の中にある母は美しかった。

月の光を溶かしたような淡い金髪に、アメジストの瞳を持っていた。

それに対し、レナーテは母と似ても似つかぬ容姿をしていた。忌《い》まわしい姿を。

自室の鏡に、レナーテは自分を映した。

編み込んで、なるべく目立たないように後ろで小さくまとめていた髪をほどく。きつく編んでいたにもかかわらず、少しも癖のついていない淡い紅《くれない》色の髪が、レナーテの胸や背中にさらさらと零れ落ちた。金髪や栗毛、漆黒《しっこく》の髪の人がほとんどであるこの国にあって、レナーテの髪は世にもめずらしい桜色だった。

レナーテは自分のこの髪が大嫌いだった。

紅《あか》い髪はその濃淡にかかわらず、信心深い人々に、聖典に記された紅蓮《ぐれん》の髪の魔女の姿を思い起こさせる。そうして、忌み嫌われる。

レナーテは鏡に映る自分を睨《にら》みつけた。

薄紅色の長い睫《まつ》毛《げ》の奥にある、大きな瞳は黄水晶のように透きとおった黄色。

黄金《きん》色や黄色の瞳もまた、魔女の特徴とされていた。

シュトロイゼル王国では、百年ほど前まで、魔女狩りが頻繁《ひんぱん》におこなわれていた。中央教会が政治的に大きな権力を握ると、古くから辺境の地に根づいていた民間信仰は、王政にあだなす邪教とみなされるようになった。

魔女に仕立て上げられた女性には二通りの種類がある。ひとつは薬草の知識に長《た》けていた森の賢女。彼女たちには決まった曜日に決まった薬草を摘《つ》むといった独特の習慣があり、それが呪術めいた行為とみなされたのだ。

そしてもうひとつは、紅い髪に黄金色の目をした女性である。

聖典に現れる魔女と同じ容姿をしていることから、彼女たちは人畜を害する存在とされ、生まれるとすぐに殺されたという。

魔女狩りが盛んだった時代に生まれていれば、レナーテも同様の運命をたどっていただろう。

しかし王が代わり、時代が移ろうにつれて、魔女狩りは過去のものになりつつあった。

（でも、いつまでも平穏だとは限らない）

歴史は繰り返すのだ。十二年前に即位した現国王は、王太子であった時分より、教会の新設に多額の国費を投じるほど熱心な信徒だという噂《うわさ》があった。数年前にそれを聞いたとき、レナーテは我が身を案じる前に、ある推測をした。父が母を捨てた原因は、もしかして自分にあったのではないだろうかと。

もしも現国王が神に対する信仰心が厚いだけでなく、異端者を排除しようとするような性質の人ならば、父が保身のために魔女のような子を産んだ母と縁を切ったというのは充分に考えられることだった。だとすれば、やりきれない思いで胸が塞《ふさ》がりそうになる。

レナーテは鉛《なまり》のように重いため息をついて鏡から離れると、書き物机の前に腰かけた。

封筒をひとつずつ開け、中身に目を通していく。植物に関する相談が大半だったが、最後の一通の差出人の名を見たとき、レナーテは顔をほころばせた。

差出人の名はアンネマリー・ローゼンベルグ。レナーテとひとつ違いの異母妹だった。彼女は父の正妻の娘で、王都にある父の屋敷で暮らしている。レナーテは父の顔こそ知らないが、アンネマリーとは密かに交流しており、しかもその関係は極めて良好だった。

アンネマリーが『お忍び』と言って、供もつけずに突然この家を訪問してきたのは、一昨年、レナーテが十五歳の春だった。

アンネマリーはたぐいまれな――それこそ聖女のような、空色の髪にサファイアの瞳をしていた。けれどその顔の造りは、レナーテと瓜二つ《うりふた》だったのだ。

アンネマリーはどこまでも屈託《くったく》がなかった。魔女のような容姿をしたレナーテを見ても、少しも眉《まゆ》をひそめずに、ただにこにこと人懐《ひとなつ》っこく笑いかけてくる少女だった。

それからというもの、ふたりはしばしば手紙のやりとりをするようになった。

そんなアンネマリーから久しぶりに受け取った手紙には、驚くべき報告が記されていた。ある侯爵家《こうしゃくけ》の長男と結婚したというのだ。相手の男性は実直で誠実、寡黙《かもく》だが優しい人だと書かれている。

レナーテは安堵《あんど》した。貴族の子女は、自分の意志で結婚相手を選ぶことはできない。だからアンネマリーの夫となる人が心の温かい人ならば、それを心から祝福したいと思った。美しく、明るい異母妹アンネマリーの結婚を、レナーテは自分のことのように喜んだ。

しかしそのことがまもなく自分の人生を大きく変えることになろうとは、このときのレナーテは想像もしていなかったのだ。

レナーテのもとに突然伯爵《はくしゃく》令息との縁談が舞い込んできたのは、アンネマリーから手紙を受けとってからまだ一週間と経たない、陰鬱《いんうつ》な雨の日のことだった。

Ⅱ

レナーテは窓辺に立ち、外を眺めていた。

三階の窓から見渡せる王都は、二日前の夜から降りだした霧雨《きりさめ》で白くかすんでいた。

一昨日、父――ローゼンベルグ子爵《ししゃく》から生まれて初めて手紙を受けとったレナーテは、今日の夜明けとともにミルヒ村の生家を発《た》ち、正午には王都の子爵邸に到着していた。父から与えられた部屋の調度は白と水色で統一され、甘い香水と白粉《おしろい》の匂《にお》いに包まれていた。

レナーテはまもなく、ハウザー伯爵家《はくしゃくけ》のマリオンという人物と面会することになっていた。鉱物に詳しく、宝石の鑑定士としても名高い二十歳《はたち》の青年だそうだ。彼は今日、レナーテが品種改良した薔薇《ばら》を見るという名目でやってくる。しかし実際のところ、品定めされるのは薔薇ではなくレナーテのほうだった。

父からの手紙には、『家格も経済力も申し分ないマリオン殿がお前に関心を持たれ、結婚を前提とした交際をしたいと申し出てくださった。ローゼンベルグ子爵家としては願ってもない話だ。お前がマリオン殿のお気に召し、無事に婚約までこぎつけることができたら、お前を正式にうちの娘として迎え入れてやる』といった趣旨《しゅし》のことが書かれていた。

レナーテは気が進まなかったが、爵位のある父に逆らうことで、ミルヒ村の人々に迷惑がかかるようなことになってはならないと思った。だから父に言われるまま、マリオンに会うことにした。

マリオンは、『美しいアンネマリーに、髪と瞳《ひとみ》の色が違うだけで、そのほかは瓜二《うりふた》つの姉がいる』という噂《うわさ》だけを聞きつけて、レナーテに興味を持ったらしい。アンネマリーとの結婚がかなわなかったので、同じ顔をしたレナーテを代用品にしようと考えたのだろう。

『にゃあ』

ふいに傍《そば》で猫の鳴き声がして、レナーテは足もとを見た。するとそこにはいつのまにか毛の長い白猫がいた。アイスブルーの瞳が美しく、健康的で艶《つや》のある毛並みをしている。

「おまえ、名前はなんていうの」

『にゃあ』

レナーテが白猫と話していると、扉が開いた。現れたのは、金の刺繍《ししゅう》がほどこされた上着で正装したローゼンベルグ子爵だった。

「子爵様」

「お父様と呼べと言っただろう」

身なりがよく、恰幅《かっぷく》もよい中年の男は鋭い目でレナーテを睨《にら》みつけた。

「申し訳ありません、お父様。お会いしてまもなく、家族という実感がまだ湧かなくて……」

母を捨てた父だ。レナーテが非難を籠《こ》めた口調で返すと、父はふんと鼻先で笑った。

「昔、会ったことがあるぞ。お前が生まれたばかりの頃にな。ゆりかごで眠るお前を見て、これはどんな悪夢かと思ったよ。産毛《うぶげ》は紅《あか》く、目は獣《けもの》のような黄金《きん》色だったのだからな」

なにげないその一言に、レナーテは、心臓が握りつぶされたような心地がした。

「では……ではお父様は、わたしがこんな姿をしているばかりに、お母様を捨てたのですか」

「なんだ、なにも聞いていなかったのか」

これは予想外だったとばかりに、父はわざとらしく灰色の目を丸くした。

自分の周りだけ空気が薄くなったような気がした。これまでは自分の憶測の域を出なかったことが、父の言葉で、とうとう現実のものとなってレナーテに襲いかかってきた。母に対する罪悪感で、ひどく息が苦しくなる。

父はそんなレナーテなど気にもとめず、じろじろと彼女の全身を検分した。

「うちの衣装係は大したものだな。田舎《いなか》娘が見違えるようだ。肝心《かんじん》の髪や目の色も、実にうまくごまかせている」

父はひとりで満足したようにうなずいた。レナーテは世話係の少女たちの手によって、襟《えり》の詰まった葡萄酒色《ボルドー》のドレスを着せられていた。肘《ひじ》の下から手首にかけてベルのように広がった袖《そで》の内側には霞《かすみ》のようなレースが幾重《いくえ》にも縫いつけられ、クリノリンで鳥籠《とりかご》形に膨《ふく》らませたスカートの背面には、陰影の優美なドレープがたっぷりとほどこされている。胸元に縫いつけられたリボンには金の台座に収まったルビーのブローチがとめられており、子爵家の財力を誇示するように輝いていた。

ほどけば背のなかほどにまで達するレナーテの髪は小さくまとめられ、頭にはドレスと同色のヴェールが垂れた薔薇のコサージュを飾られた。ヴェール付きのコサージュは、レナーテの髪や目の色をごまかすために父が急きょ用意したものだった。

父はレナーテに、この縁談がまとまった場合には髪の色素を抜き、目には色硝子《いろガラス》を嵌《は》めて一生を過ごせば良いのだと言った。

目に装着する硝子の装用時間は二時間が限度だと言われているし、髪は一生、色を抜き続けなければならない。

結婚すれば早晩すべてが明るみになってしまうのは明白だったが、目先の利益に目がくらんだ父は、「どうにかなる」の一点張りだった。

浅はかな人間だと、レナーテは思った。

レナーテは早く村に帰りたかった。

こうしている時間がとても無駄に思える。

（ハンナに任《まか》せてきたとはいえ、温室の薔薇の様子も気になるし、今日もりんごの木のことで困っている人がいるかもしれない。それに今日は『ナトゥーア』の最新号が家に届く日なのに……）

メルは最新号にどんな論文を寄稿したのだろう。名前の他にはなにも知らない彼のことを思いながら、レナーテは手首に結んだ黒いリボンに触れた。ドレスに着替えさせられてからこっそりと自分で結んだリボンは、昨夜、メルから速達で送られてきたものだ。

『王都の父から呼び出されたので、少しのあいだ家を留守にするの。メルの最新の論文をすぐに拝読《はいどく》できないことが残念だわ』

レナーテがしたためた手紙は翌日にはメルの手に渡ったらしく、その晩にはメルからこのリボンが送られてきた。リボンに添えられていたカードには、急いで書かれたのか、乱雑な文字でこう記されていた。

『防虫効果のある植物の繊維を編みこんだリボンです。王都には悪い虫が多いですから、それらを寄せ付けないお護《まも》りとして常に身につけていてください』

絹《きぬ》のような光沢《こうたく》がある黒いリボンには、金糸《きんし》で刺繍がほどこされていた。獅子《しし》……ではなく、狼《おおかみ》をあしらったエンブレムのようだ。

やがて家令《かれい》が部屋を訪ねてきて、父に面会の準備が整ったことを告げた。

レナーテは生家から持ってきたミニ薔薇の小さなフラワーポットを両手で持つと、父に促《うなが》されるまま部屋を出た。なぜか白猫も当然のようについてくる。

父に続いて階段を下り、緋《あか》い絨毯《じゅうたん》が敷かれた長い廊下を歩いていく。通されたのは突きあたりにある応接室だった。ベルベットのカーテンによって遮光《しゃこう》された室内は薄暗く、花を伏せたような形の天井灯《てんじょうとう》が申し訳程度に部屋を照らしている。部屋には赤々と燃える暖炉があり、装飾の細かなマントルピースの上には双頭の鷲《わし》のオブジェが置かれていた。

(明かりを極力おさえているのは、わたしの髪や瞳の色を判別しにくくするためね)

レナーテは早くも息が詰まりそうだった。この部屋の収容人数はどう見ても二人だ。ソファは飴《あめ》色のテーブルを挟んでひとつずつしかなく、ワゴンテーブルでも運ばれてきたら、それだけで、もう余分な空間は消えるだろう。

「まもなくマリオン殿がいらっしゃる。いいか、失敗はするなよ。それからカーテンには手を触れるな」

父は念を押すと、レナーテをその場に残して去っていった。

扉が閉まると、レナーテは小さく嘆息《たんそく》して、フラワーポットをテーブルの上に置いた。

『にゃあ』

てっきり父と一緒に出ていったと思っていたのに、ソファに腰掛けたとたん足元にふさふさした白猫がまとわりついてきて、レナーテは飛び上がりそうになった。

「おまえ、まだいたの？　……もしかして、子爵にあまり可愛《かわい》がられていないの？」

レナーテは同情を込めて訊いたが、白猫は答えなかった。

そこへ扉を叩《たた》く音がしたので、レナーテは「どうぞ」と返事をした。

失礼致します、と丁寧《ていねい》に断りを入れてから部屋に入ってきたのは、上品な装《よそお》いをした青年だった。優しげな整った顔立ちをしているのはわかるが、この照明の下では、髪の色は鳶《とび》色にも栗《くり》色にも見えるし、瞳の色は青なのか灰色なのかも曖昧《あいまい》だ。

ということは、相手のほうからもレナーテの髪や目の色はよく見えていないのだろう。

ただでさえレナーテは、ヴェールの影で前髪や瞳の色が不明瞭《ふめいりょう》になるように細工されているのだから。

(でも、油断できない。ビタミンAを日常的に多く摂取《せっしゅ》している人は、夜目が利《き》くという誰かの論文を、なにかで読んだことがある)

いや、その説は否定されたのだったか?

レナーテの専門は植物学なので、記憶があやふやだった。いつもの癖《くせ》でそのまま思索《しさく》に耽《ふけ》っていると、ふっと上空が翳《かげ》った。顔を上げると、目の前にマリオンが立っていた。

「ごめんなさい。ついぼんやりしてしまって」

レナーテがソファから立ち上がると、マリオンは瞳を細めてくすりと笑った。

「いえ、そんな……謝られなくても。レナーテ殿、お目にかかれて光栄です。マリオン・ハウザーと申します」

「レナーテ・ローゼンベルグです」

レナーテはにわか仕込みの作法に則《のっと》ってマリオンにお辞儀をした。彼が向かいのソファに腰掛けるのを待って、自分も座りなおす。

「このたびはわたしの薔薇にご興味を持っていただきましてありがとうございます」

なるべく早く用事を済ませてしまいたかったレナーテは、さっそく切り出した。

「こちらが『アプフェルジーネ』です。淡い橙《だいだい》色の花弁がオレンジを彷彿《ほうふつ》とさせるので、このように命名致しました。開花時期は——」

レナーテは薔薇を見ながら淡々と説明していたが、ふと前から視線を感じて顔を上げた。マリオンは微笑《ほほえ》みをたたえてレナーテの顔を見つめていた。人の話を聞いていない顔だ。

「あの……、聞いていらっしゃいますか？」

「レナーテ殿」

マリオンは言った。

「あなたはここに設《もう》けられた席が本当は商談の場ではないことを、お父上から聞いてご存じのはずです。ですからごっこ遊びはもうやめに致しませんか。私は薔薇よりも、あなたのことをもっと深く知りたいのです」

「では、どのようにすれば？」

レナーテが訊《き》くと、マリオンが音もなく席を立った。レナーテがマリオンの一挙手一投足を注意深く観察していると、彼はテーブルを迂回《うかい》してレナーテのほうに近づいてきた。

『にゃあ』

テーブルの下で、白猫がレナーテの足首を軽く引っ掻《か》いた。レナーテはその感触で我に返って椅子から立ち上がると、ほとんど本能的に、逃げるように部屋の奥へと移動した。マリオンから距離をとろうと後退するうちに、カーテンで覆《おお》われた窓に背中がぶつかった。

「アンネマリー殿」

マリオンが熱っぽく囁《ささや》いたのは、異母妹の名だった。

この人は、なにを言っているのだろう。

レナーテが混乱して立ちすくんでいると、マリオンは獲物《えもの》を捕まえたとばかりに、窓際《まどぎわ》に追い詰めたレナーテの両側に手をついた。

「あなたは見れば見るほど本当に妹君によく似ておられるのですね。すじの通った小さな鼻も、桜桃《おうとう》のような唇《くちびる》も、なめらかな頬《ほお》も、……吸いつきたくなるような柔肌《やわはだ》も」

マリオンは恍惚《こうこつ》とした声で呟《つぶや》きながら、レナーテの鎖骨《さこつ》のあたりをドレスの上からなぞった。

レナーテは怖気《おぞけ》立った。

(この人、おかしい)

のがれようと身じろぎしたとたん、マリオンの片手に強く腰を抱き寄せられた。

「私は侯爵《こうしゃく》の息子よりもずっと以前からアンネマリー殿に恋い焦《こ》がれていたのです。なのにアンネマリー殿は私の手をとってはくださらなかった。私はおかしくなりそうでした。でも、もう平気です。あなたが……アンネマリー殿にそっくりなあなたが、こうして私のもとにみずから来てくださったから。この薄い皮膚《ひふ》の下にはアンネマリー殿と同じ温かな血が流れている。アンネマリー殿、今度こそ私のものになってください。アンネマリー殿」

マリオンは異母妹の名を繰り返しながら、レナーテの顔にかかったヴェールを優しい手つきで払った。薄暗い部屋では、レナーテの髪も瞳も、正しく認識されなかったのだろう。

マリオンは満足げに唇を歪《ゆが》めると、レナーテの頰を包み込んで、顔を近づけてきた。

レナーテはマリオンを突き飛ばした。おそらく生まれてこのかた突き飛ばされるという経験をしたことがないのであろう青年は、吹けば飛ぶ葉のように簡単によろめいた。体勢を崩しかけたマリオンはとっさにカーテンを摑《つか》んだ。カーテンレールからカーテンが滑り落ち、外の光が一気に部屋中を照らした。カーテンを摑んだまま絨毯に尻餅《しりもち》をついたマリオンに、レナーテは手を差し伸べた。

「ごめんなさい。……お怪我《けが》は？」

マリオンは反応しなかった。青い瞳を限界まで見ひらいて、レナーテの顔を凝視《ぎょうし》している。マリオンの目が青だったことにはじめて気がついたのと同時に、レナーテの体温はスッと下がっていった。先程の揉《も》み合いで、レナーテの頭にとめられていたコサージュとヴェールは足もとに落ち、髪はすっかりほどけていた。マリオンの瞳にはいま、真昼の光にさらされて明らかになった、紅い髪に黄金《きん》の目をした自分の姿が映っていることだろう。

「ま、魔女」

蒼褪《あおざ》めたマリオンは唇を震わせた。そしてそのまま、崩れるように失神した。彼の言葉は棘《とげ》となり、レナーテの胸に深く突き刺さったが、こんなときに悠長《ゆうちょう》に感傷に浸《ひた》れるほどレナーテは愚かではなかった。レナーテは応接室の扉を開けると、精一杯の声で叫んだ。

「誰か！　誰か来て！　急病人がいるの！」

すぐに屋敷中から使用人たちが集まってきた。レナーテがここに滞在していることを知らされていなかったと思われる一部の者は、レナーテの姿を見るなり、小さく悲鳴を上げるか、あるいは見てはいけないものを見てしまったとでもいうように、素早く視線を逸《そ》らした。

時を置かずに子爵家の侍医《じい》が駆けつけてきて、マリオンの介抱《かいほう》にあたった。ざわつく使用人たちをかき分けて、蠟《ろう》のように蒼白《そうはく》になった顔をしてレナーテのほうに近づいてきたのは、先程も会った家令だった。

「お嬢様。お嬢様はどうぞ、お部屋で待機を」

レナーテは家令に促されるまま、黙ってその場を離れた。白猫は騒ぎに驚いて逃げてしまったのか、もうどこにも姿が見えなかった。


バン！　と音を立てて、勢いよく部屋の扉が開いた。絨毯の上に力なく座り込んでいたレナーテは、びくりとして視線を上げた。

怒りの形相《ぎょうそう》をした父がそこに立っていた。

「お前は……なんてことをしてくれたんだ」

父は大股《おおまた》でレナーテに近づいてきた。

「マリオン殿はまだお話しになられる状態ではない。怯《おび》えたようなお顔をなさって、『魔女、魔女』としきりに繰り返しておられる。レナーテ、お前はマリオン殿になにをした？」

まるで異端審問だった。

レナーテは自分の心臓がドクドクと脈打つ音を聞きながら、父を見つめた。

「わたしは、なにも――」

「忌《い》まわしい目で私を見るな！　役立たずの魔女め！」

父は叫ぶと、片手を振り上げた。殴《なぐ》られる、と思ったが、違った。もっと恐ろしいもの――父の手には銀製の短剣が握られていた。

銀の剣は古来、魔物の命を絶つと言われている。レナーテは逃げようとしたが、立ち上がりざまに髪を掴まれ、床に引き倒された。背中に父がのしかかってくる。内臓が圧迫されてレナーテが呻《うめ》いたとき、耳元でざくりと音がした。床に散った紅いものは、血ではなく髪だ。腰に届くほど長かったレナーテの髪は、父が剣をひと振りしただけで、肩にもつかないほど短くなっていた。レナーテは震えあがった。紅い髪は魔女の象徴だ。ならば次は――黄金《きん》の目を抉《えぐ》られるのだろうか。

レナーテの読みはおそらく当たっていて、レナーテの髪を切り落とした父は、レナーテの身体を今度は力ずくで仰向《あおむ》けにした。

怒りで顔を赤黒くした父の目には、暗い殺意が宿っていた。

（殺される）

レナーテは悲鳴をあげたかったが、干上がった咽喉《のど》から漏《も》れるのは掠《かす》れた声だけだった。

「お父様。わたしを殺せば、お父様は殺人の罪に問われます。そうしたら、お義母《かあ》様はどうなりますか。可愛いアンネマリーは……」

するとは父は、凄絶《せいぜつ》な笑みを浮かべた。

「医師を買収してしまえばわからない」

レナーテの瞳から、涙が零《こぼ》れ落ちた。

（わたしが、なにをしたというの）

この髪のせいで。

この瞳のせいで。

母はこの人に捨てられて、自分はいま、殺されようとしている。

濡れた瞳に、短剣を振り上げた父の姿が映る。レナーテはそれが自分の顔に向かって振り下ろされるのをただ見つめるしかなかった。

一瞬の後。

室内に悲鳴が響き渡った。

レナーテが叫んだのではない。レナーテは、父が悲鳴をあげるのと同時に、銀の短剣が遠くに弾《はじ》き飛ばされるのを見た。それから目の前で黒い外套《がいとう》がひるがえるのを。レナーテに馬乗りになっていたはずの父が、いつのまにかレナーテと同年代くらいの黒衣《こくえ》の少年によって床に押さえつけられていた。レナーテは半身を起こした。漆黒《しっこく》の長い前髪がかかっているせいで少年の横顔はよく見えなかったが、恐ろしく白い肌と通った鼻梁《びりょう》をしていた。

「殺すくらいなら、僕にください」

子爵を見下ろしながら、少年は言った。

父は口をぱくぱくさせていたが、

「ローゼンベルグ子爵」

少年に名を呼ばれて、ようやく声を発した。

「で、殿下。メ、メルヒオール殿下！　な、なぜこのようなところに殿下が！」

「そんなことよりも、早くお返事を」

少年は薄く形のよい唇に、優美な笑みを刷《は》いた。しかしその穏やかな表情と行動はそぐわなかった。少年の筋ばった手には長剣の柄《つか》が握られており、抜き身の刃《やいば》は父の頸動脈《けいどうみゃく》のあたりにぴたりと押しあてられていた。父がわずかでも身動きすれば、宝石で飾られた父の襟はたちまち鮮血の赤に染まることだろう。

「も、申し訳ございません。よく聞き取れませんで……、よ、よろしければもう一度……」

「レナーテを僕の花嫁にしたいと申し上げたのです。三回は申し上げませんよ」

彼は剣を父の首に押しつけたまま、スーッと軽く刃を引いた。父の首に、糸のような血のすじができた。少年は、囁くように言った。

「僕があなたを殺しても……医師を買収してしまえばわからないでしょうね」

ひぃ、と父が細い声をあげる。

父はつい先刻までは赤かった顔を今度は青くして、なんども舌を嚙《か》みながら言った。

「さ、差し上げます！　そこにいるレナーテでしたら、いくらでも差し上げますから！」

「いえ、ひとりいただければ充分です」

少年は可笑《おか》しそうに言ってから、ゆっくりと剣を鞘《さや》に収めた。それから彼は何事もなかったように上着の内ポケットを探ると、筒状の羊皮紙《ようひし》を取り出した。それを丁寧《ていねい》に広げると、組み敷いたままの父の眼前に突きつけた。

「この通り、今朝、国王から結婚の許しを得て参りました。現行法では男子の結婚が認められるのは満十八歳ですが、僕は幸いにして一週間後に十八の誕生日を迎えるので、当日にさっそく籍を入れるつもりです。あなたの大切なレナーテ嬢を死ぬまで……いえ、死んでからも愛し続けますからご安心ください」

「は、はい……いや、しかし殿下っ！　こ、この娘は、ご、ご覧の通り、ふ、ふ、……」

不吉だと言わんばかりに父がレナーテを指さしたとき、はじめて少年がこちらを見た。

目が覚めるほど鮮やかなエメラルドの瞳が、まっすぐにレナーテの姿をとらえた。レナーテの鼓膜《こまく》の奥に、怯《おび》えたマリオンと、怒りにわななく父の声が、かさなるように蘇《よみがえ》った。

――ま、魔女。

――役立たずの魔女め！

「そうですね、本当に美しい人だ」

少年は思いがけない言葉でレナーテの幻聴をかき消してから、再び父に向き直った。

「それがどうかなさいましたか、ローゼンベルグ子爵。それともあなたはまさか、国王と僕の決定になにか不服でもあるのですか」

「あ、あああありません！　不服など滅相《めっそう》もない！　どど、どうぞ、差し上げます！　本当に差し上げますから！　に、煮るなり焼くなりお好きなようになさればよろしい！」

「ふぅん……好きにしていいんですね」

少年は口元に暗い微笑をたたえると、床に座り込んだレナーテのほうに歩み寄ってきた。

「立てますか」

彼が手を差し伸べてきたとき、レナーテは、彼の中指に嵌《は》められた指輪の刻印を見た。剣と王冠があしらわれた盾《たて》の中で、二頭の狼が向かいあった紋章。それはレナーテが手首に結んだリボンに刺繍されているのと同じ紋章だった。レナーテは無言で彼の手をとり、立ち上がった。立ち上がりはしたが、そこまでが限界だった。レナーテは緊張の糸が切れたように、突然意識を手放したのだった。

Ⅲ

遠くで猫の鳴き声を聞き、レナーテは目を覚ました。装飾を抑《おさ》えたシャンデリアがまず視界に飛び込んできて、レナーテはここがミルヒ村の生家でもなければ、子爵家《ししやくけ》で自分が与えられた部屋でもないことを理解した。

レナーテは起き上がった。けれどそのとたん、ずきずきと頭が痛み、また力なく寝台に身体《からだ》を沈めた。柔らかな寝具の感触が心地よくて、再び瞼《まぶた》が下がってくる。

しかし、ガチャ、と扉がひらく音でレナーテの意識は覚醒した。

頭痛をこらえ、レナーテは身体を起こす。

部屋に入ってきたのは、黒髪に緑の目をした例の少年である。少年は寝台の上のレナーテと目が合うと、表情を和《やわ》らげた。

「気がついたんですね」

「……ここは、どこ？」

「僕の家です。ミルヒ村の西、カレンデュラの森の中にある」

少年はこちらに歩み寄ってくると、猫脚《ねこあし》のベッドサイドテーブルに置いてあった水差しから、ワイングラスに水を注いだ。

差し出されたグラスを、レナーテは礼を言って受けとった。恐る恐る口に含んだ水は、ほのかにレモンバームの香りがした。

ベッドサイドテーブルにグラスを戻すと、レナーテは傍《そば》の椅子《いす》に腰かけた黒衣《こくえ》の少年を見つめた。雄々《おお》しいというよりは中性的で、人形のように美しい造作《ぞうさく》をした少年だった。

エメラルドのように澄んだ瞳《ひとみ》と目が合ってしまい、レナーテは慌《あわ》てて俯《うつむ》いた。

顔をじろじろと見るなんて、不躾《ぶしつけ》だった。

気まずい思いで伏せた瞳に、中指に指輪を嵌《は》めた彼の手の甲が映った。幅広の指輪には黄金の紋章が彫られている。王冠と宝剣が装飾的にえがかれた盾形《たてがた》の枠の中で、後ろ足で立った二頭の狼《おおかみ》が向かいあう紋章である。レナーテの手首には、メルから贈られた黒いリボンがいまも結われたままになっていたが、そこにも同じ紋章が金糸《きんし》で刺繍《ししゅう》されていた。

ということは、彼はメルとは無関係の人ではない。同じ紋章の指輪を与えられたなら、おそらくメルととても親密な間柄《あいだがら》に違いないと思った。

「あなたは、メル――」

「はい」

「――の、お弟子さん……ですか……？」

天才博物学者のメルには何人かの若い弟子がいて、メルの家に出入りしていると聞いたことがある。もしかしたら彼もそのひとりなのかもしれない。

すると少年は、深く嘆息《たんそく》した。

「僕がメルです」

レナーテはまばたきも忘れて彼を見つめた。目の前にいる、こんなにも若い少年が、自分と手紙のやりとりをしていた博物学者……？

「本当なの？」

「本当です。……困りましたね。どうすれば信じていただけるのでしょうか。そうだ、学会の会員証でもご覧になりますか？」

レナーテは少し考えてから、ひらめいたことを口にした。

「ここでサインをして」

「サイン？」

「わたし、実は以前、ある伝手《つて》でメルのサイン入りの論文集を手に入れたの。それだけではなくて、メルと文通もしているの。サインは穴があくほど見つめているし、メルからいただいたお手紙はすべて何度も読み返しているから、筆跡鑑定ができる自信が――」

レナーテは、急に紅《あか》くなって口をつぐんだ。少年が驚いたようにまばたきをしてこちらを見ていることに気がついたのだ。

「……あの、誤解しないで。わたしはメルに憧《あこが》れているけれど、ひっそりと慕《した》っているだけなの。彼に会いたいとか、そんな大それたことは考えていないから、どうか警戒しないでほしいの……」

「そうですか。僕はずっと君にお逢《あ》いしたいと思っていましたけれどね」

少年は冗談とも本気ともつかない口調で言いながら、書き物机から羽根ペンと羊皮紙《ようひし》の切れ端《はし》を持ってきた。それをベッドサイドテーブルに置くと、彼はレナーテによく見えるように、羊皮紙に〝Mel〟と書いた。

レナーテにはわかった。続け字で書かれたそれは、確かにメルの筆跡だった。

「信じていただけましたか？」

信じざるをえなかった。

失礼ながら——メルの字は、本人は丁寧《ていねい》に書いているつもりなのかもしれないが、いつもやや雑に見える上に、少し癖《くせ》があった。そんな微妙な文字の具合を、まるで写しとったかのように真似《まね》ることはどんな芸術家であっても難しいようにレナーテには思われた。

レナーテが黙っているのを肯定《こうてい》と受け止めたのか、少年は——メルは、さらに羽根ペンを動かしてさらさらと文字を続けた。そこに記されていた名は——

〝Melchior Pringsheim〟

メルヒオール・プリングスハイム。

プリングスハイム姓を名乗ることができるのは、シュトロイゼル王国においては王の直系の血を引く者だけだった。

「それも……本当？」

レナーテは表情に乏《とぼ》しい彼の顔を見つめた。メルは長い睫毛《まつげ》の底にあるエメラルドの瞳で、レナーテをまっすぐにとらえた。

「君は僕の論文をすべて読んでくださっているはずです。その中で、僕が一度でも嘘《うそ》をついたことがありましたか？」

レナーテは首を横に振った。

「メルはいつも、本当のことしか言わない」

「それでは僕がシュトロイゼル王国の第二王子で、ミルヒ村を含むこの一帯を治める領主だということもご理解いただけましたね」

レナーテの頭の中で、気を失う前の記憶が断片的に蘇《よみがえ》った。

そうだ……父は彼を『メルヒオール殿下』と、確かにそう呼んでいた。

「理解しました」

「……と言うわりには、まだ思案顔《しあんがお》ですね」

怪訝《けげん》そうに顔を覗《のぞ》きこまれたので、レナーテは考えていたことをそのまま口にした。

「あなたを今後、王子殿下とお呼びすべきか、それとも領主様とお呼びすべきか、どちらがふさわしいのか悩んでいたんです」

「どちらもふさわしくありません。いままで通り、僕のことはメルと呼んでください。それから敬語も不要です」

丁寧でありながらも有無《うむ》を言わさぬ口調でメルヒオールは言った。強要するような言葉は何ひとつ含まれていなかったが、王子が口にする願いというのは、つまりは命令だった。あえて食い下がる必要もないと思われたので、レナーテはおとなしく彼に従うことにした。

「わかったわ。メルがそれで良いと言うなら、そうする。でもそれなら、あなたも敬語を使わなくていい。これは以前から手紙で伝えようと思っていたことだけれど……」

「僕は普段から誰に対しても敬語なので、お気になさらず」

それに、とメルヒオールは続けた。

「男がこれから妻になってくれる女性に対し、敬意を払うのは当然のことです」

妻……。

レナーテは彼の言葉を飲みこむのに時間が要《い》った。目覚めて間もないせいか、まだ記憶が混乱しているようだった。

だから口頭で彼に質問をして、一から状況を確認していく必要があった。

「わたし、メルに訊《き》きたいことがあるの」

「それは数えきれないほどあるでしょうね」

「……まず、子爵家でわたしを助けてくれてありがとう」

「どういたしまして」

「あなたはなぜあの場に居あわせたの？」

レナーテの問いに対して、メルヒオールの回答は淀《よど》みなかった。

「まず、君からいただいた手紙を拝読《はいどく》したことで、僕は事前に君が子爵家にいることを把握《はあく》していました。それから考えました。これまであの父親に放置されてきた君が、ある日突然子爵家に呼び出された。……となると、その理由としてもっとも可能性が高いのは、縁談——政略結婚がらみであると」

「……そういうものなの？」

「そういうものですね、貴族というのは」

レナーテよりも上流階級に詳しいどころか、王族の彼がそう言うのならば多分そうなのだろうと、レナーテはとりあえずは納得した。

「そこで、僕はただちにそのリボンを用意して——」

メルヒオールは視線を落とし、レナーテの細い手首に結んであるリボンを見た。

「君に送りつけました。それから精霊を使って、子爵家での君の様子を観察させたんです」

「……精霊？」

科学者の口からまさかそんな超自然的な存在を示す単語が飛び出してくるとは思わず、レナーテはつい訊き返してしまった。メルヒオールは真顔で頷《うなず》いた。

「僕は科学者ですから、そういったものの存在はできるだけ否定したい主義ではあります。しかし僕の意に反して、この森には昔から精霊や魔物といった、不可解なものがはびこっているんですよ。ああ、これが例の精霊です」

『にゃあ』と鳴いてメルヒオールの足もとから現れたのは、子爵家で見た白猫だった。

「僕が君に贈ったリボンには、この猫を引き寄せる香草の抽出液《ちゅうしゅつえき》を少し浸《し》みこませておいたんです。君の身になにか不吉なことが起きたときに、すぐに把握できるように。……クラウディア、君は実によく働いてくれました」

最後の言葉は、白猫に投げかけられたものだった。

クラウディアという名前らしい白猫は褒《ほ》められたことを理解したように『にゃあ』と嬉《うれ》しそうに鳴くと、霧《きり》のように姿を消してしまった。

信じられない光景をまのあたりにして固まったレナーテの横で、メルヒオールは続けた。

「君が父親に政略結婚させられそうになっていたことも、応接室で忌々《いまいま》しい目に遭《あ》わされたことも、クラウディアはひとつもとりこぼすことなく僕に報告してくれました。ここで報告を受けた僕は一分後には馬上にあり、一時間後には王都で国王に謁見《えっけん》していました」

カレンデュラの森から王都までは、馬車で少なくとも三時間はかかる距離だ。いったいどれだけ馬を早駆けさせたのだろう……。

「それから国王にかけあい、君との結婚を認めさせ、その証《あかし》である書状を持って子爵家に到着したのは君もよくご存じの通り、昨日の昼過ぎのことですね」

レナーテは途中で口を挟みそうになったが、こらえた。メルヒオールがせっかく順を追って丁寧に説明してくれているのに、途中で話の腰を折ってはいけないと思ったのだ。

「家令《かれい》のかたに玄関ホールに通されるなり、使用人の悲鳴が聞こえました。そこで家令に君の部屋へと案内させてみたところ、子爵が君に剣を振りかざしているではありませんか。あんな事態になっているとは、さすがの僕も予想外でした」

レナーテの眼裏《まなうら》で、銀の刃《やいば》が一閃《いっせん》したような気がした。短剣の鋭い切っ先と、父のぎらついた双眸《そうぼう》が鮮明にレナーテの脳内に焼きついていた。あれほど強烈な殺意というものを、レナーテは生まれてはじめて見たのだ。

レナーテはメルヒオールに肩を摑《つか》まれて、現実に返った。顔をあげると、メルヒオールは端整な面《おもて》に後悔の色を浮かべていた。

「申し訳ありません」

レナーテはなぜメルヒオールが謝るのかわからなかった。しかし彼の手の下で自分の肩が小刻みに震えていたことに気がつくと、レナーテは口をひらいた。

「わたしは平気」

結果的には死ななかったのだから、とレナーテは感情を抑えた声で言った。しかし冷静になろうとするレナーテとは逆に、メルヒオールのまなざしには、ここにはいない者に対する怒気が滲《にじ》んでいた。

「どこが平気なんですか」

メルヒオールはレナーテの肩から頰《ほお》へと手を滑らせた。頤《おとがい》の下のあたりで無残にも切られ、長さが不揃《ふぞろ》いになったレナーテの髪に、彼はいたましそうに触れてくる。髪には神経など通っていないのに、まるで生傷に触れるかのように、その手つきは慎重だった。

「僕がせめてあと五分早く到着していれば、こんなことにはならずに済んだのに……」

「本当に平気」

レナーテは念を押すように、同じ言葉を繰り返した。どうしてか、自分よりもメルヒオールのほうがずっと苦しそうに見えた。

「だって、目を抉《えぐ》られたならともかく、髪が短くなったところで、研究に支障が出るわけではないもの。それに……」

レナーテは平気であることを証明するように彼に微笑《ほほえ》みかけようとしたが、無理だった。瞼《まぶた》に急速に熱が集まってきて、笑うどころか、視界が滲んだ。

「こんな髪、嫌い。……だからどうでもいい」

絞《しぼ》り出した声はかすれていた。涙を零《こぼ》したら、頰に添えられた彼の手を濡《ぬ》らしてしまうだろう。レナーテはそれを危惧《きぐ》して彼の手に自分の手を重ね、そっと外そうとした。しかしそのとき、レナーテの腰に彼の片手がまわされて、強い力で引き寄せられた。レナーテは体勢をとり崩し、思わず彼の肩にしがみついた。

「どうでもよくありませんよ、レナ」

メルヒオールはレナーテの頬をゆっくりと撫《な》でおろすと、頤をつかんで顔を上向かせた。

レナーテに対し、それまでは凪《な》いでいた彼の目が、わずかな険をはらんでいた。

レナーテは動揺した。自分が彼を怒らせてしまったことは理解したが、なにが彼の逆鱗《げきりん》に触れたのかがわからなかった。そしてその困惑《こんわく》が余計に彼を苛立《いらだ》たせたのか、腰に添えられていた手にわずかに力が籠《こ》められた。

「君は自分の立場をわかっているのですか」

「立場……」

「国王と子爵の合意により、君は昨日から僕のものになったんです」

レナーテは息を詰めた。

父とメルヒオールが最後に交《か》わした会話を、正確に記憶していたからだ。

――本当に差し上げますから！　に、煮るなり焼くなりお好きなようになさればよろしい！

――ふぅん……好きにしていいんですね。

……自分の立場は、よくわかっていた。

こうして彼にたやすく身動きを封じられているように、自分は社会的にも身体的にも非力で、抵抗するすべも意思も持たなかった。

　子爵から好きにしていいと言われたとき、メルヒオールは嗜虐的《しぎやくてき》な笑みを浮かべ、明らかに悦《よろこ》んでいる様子だった。

　世間には様々な趣味嗜好《しこう》の人がいる。けれど、レナーテはたとえ彼が自分をいたぶり、切り刻むことに愉悦《ゆえつ》を覚える人であったとしても、学者として尊敬し続ける気持ちは変わらないだろうと思った。

　……だから。

「……レナ、君は誰のものですか」

　彼の腕に閉じ籠められたまま、確かめるようにそう訊かれたとき、レナーテは、震えながらも迷わずに答えていたのだった。

「わたしは、メルのもの」

　それを聞き届けると、彼は満足したようにわずかに唇《くちびる》の端を持ち上げた。

「正解です」

　頤《おとがい》から手を離され、代わりに頭を撫でられる。

「しかし、半分は不正解ですよ。レナ」

　ぴくりと肩を震わせたレナーテの耳元に、メルヒオールは顔を寄せた。

「君はあくまでも君自身のもので、僕のものでもあるというのは、いわばついでのようなものです。しかしついででも僕のものである以上、君の価値を君がひとりで勝手に決めることは許されません。……髪の毛一本たりとも粗末には扱わないように」

言い含めるように低く囁《ささや》かれた。

それは命令ではあったが、レナーテに恐怖を植え付けるものではなかった。

「返事は」

レナーテは混乱しながらも、「はい」と答えた。返事をしなければ、ずっと彼に抱き寄せられたままだと思ったのだ。そして思った通り、レナーテの返事を聞くと、メルヒオールは身体を解放してくれた。そうして、涼しい顔で席を立つ。

「とりあえずここに軽食でも運ばせましょう。苦手なものはありますか」

「ない」

「正直に答えなさい」

「………セロリ」

自分が嘘をつくのが下手《へた》なのか、それともメルヒオールが鋭すぎるのか、ともかくも嘘を見破られたレナーテは、かなりためらった末に正直に答えた。子供のようだと呆《あき》れられるかと思ったが、メルヒオールは瞳を細めて微笑んだだけだった。

「承知しました。では料理人にはそのように伝えておきましょう」

扉に向かって歩き出したメルヒオールを、レナーテは「待って」とすかさず呼びとめた。メルヒオールが多忙なのは知っている。もしかしたら今日はもう彼に会えないかもしれない。だから、いま確認しなければならないと思った。レナーテが記憶している限り、結婚式まであと一週間もない。時間がなかった。

「よく考えてほしい。あなたがわたしを正式に妻にする必要性が、本当にあるのか」

レナーテは彼がなにを思って自分を花嫁にしようとしているのかわからなかった。愛されているとは思わなかったが、すくなくとも彼がなんらかの理由で自分を所有したがっているのは確かだった。けれど手元に置くだけならば、自分を妻にする必要はない。

レナーテが言おうとしていることを察したように、メルヒオールが口をひらいた。

「僕が君を愛人ではなく、なぜわざわざ妻にするのかということですか？」

「そう」

「その理由は、第一に――」

メルヒオールはまるで、論文の中で彼が唱えた学説の正しさを証明するときのように、理路整然とした物言いで理由を挙げていった。

「君を正式に僕の妻にしてしまえば、あの伯爵《はくしゃく》令息のような身の程知らずもさすがに君に手を出さなくなるだろうと考えたからです。

第二に、君を公的な文書をもって繋《つな》ぎとめておけば、君が容易に僕のもとから逃げ出すことはできなくなるからです。

第三に、僕が興味を持ち、また執着《しゅうちゃく》する女性が、あとにも先にも君だけだという事実がもうだいぶ前から確定していたからです」

「執着……？」

「僕が君を愛しているという意味です」

メルヒオールは、やはり感情の読みとりにくい緑の瞳でレナーテを見つめると、静かに部屋を退出した。

Ⅳ

シュトロイゼル王国の第二王子、メルヒオールが十一歳という若さで新領主に就任したのは、いまから七年前のことである。

当時、享楽《きょうらく》主義で民《たみ》をかえりみない前領主のもとで、重税や災害補償の不十分さに苦しんでいた領民たちは、領主の交替に期待していただけに、落胆も大きかった。新領主があまりにも年若かったからだ。ところが彼は領主の座についてまもなく、その聡明《そうめい》さと誠実さをもって、領主としての頭角を現した。彼は私財をなげうって道路と下水を整備し、果樹園や農家を積極的に支援した。日照りや長雨、獣害による不作への対応は常に迅速《じんそく》かつ的確で、結果、ミルヒ村の人々の生活の質は格段に向上したのである。

多忙な領主に会うことができる者は限られていたが、村人たちは、この七年間、いつも若き領主への感謝の気持ちを忘れなかった。

レナーテももちろんそのひとりだった。

領民として敬意を払ってきたメルヒオールと、学者として憧《あこが》れ続けてきたメルが同一人物だったとは思いもよらなかったが……。

「レナ様、よくお似合いですわ！」

明るく澄んだ少女の声で、レナーテは物思いから醒めた。

一夜明けて、レナーテはいま、飴《あめ》色の鏡台の前に腰かけていた。

鏡に映る自分の姿は、なんだか他人のようによそよそしかった。民族衣装《ディアンドル》をまとい、長い髪を小さく結いあげていた自分の姿を見慣れすぎていたせいかもしれない。

世話係の少女たちが着せてくれたのは、若草色のドレスだった。

胸元の白地のヨークはかすみ草の刺繍《ししゅう》のケミカルレースで縁《ふち》どられ、立て襟《えり》にはドレスと共布の飾りリボンがあしらわれている。腰までは身体《からだ》の線にぴたりと沿った意匠《いしょう》だが、スカートは三段切り替えになっており、内側にパニエを一枚仕込んだだけで鈴蘭《すずらん》の花のようにふんわりと膨《ふく》らんだ。

長さの不揃いだった桜色の髪は昨日のうちに整髪師によって、頤《おとがい》の下で自然と内巻きになるように切り揃《そろ》えられた。

レナーテが考えごとをしているあいだに、頭には白絹《しらぎぬ》で仕立てられた、りんごの花のコサージュが留《と》められていた。花片《はなびら》の何枚かに縫いつけられたガラスのビーズが朝露《あさつゆ》のようにきらめいている。

（りんごの花……）

レナーテは初夏に咲くりんごの花が好きだった。可憐《かれん》で、甘い香りがするからだ。せっかく留めてもらったコサージュがずれてしまわないようにそうっと触れていると、世話係の少女のひとりがくすくすと笑った。

「レナ様のお気に召したようで、殿下もきっと喜ばれますわね。こちらのコサージュは、殿下が未来の奥様のためにずいぶんと前から職人に作らせていた品のひとつですのよ」

「……え？」

「不測の事態により予定がやや早まったが、殿下はもともと十八のお誕生日を迎えられると同時に、あなたにたくさんの贈り物を捧《ささ》げて求婚されるおつもりでいらっしゃった」

レナーテの胸元のリボンを整えながら、もうひとりの世話係の少女が淡々と告げる。

「そう……だったのね」

メルヒオールが自分を妻に望んだ理由は、彼の口から聞いたいまでもやはり腑《ふ》に落ちなかったが、彼の中でもともと計画されていたことだったのであれば、国王から結婚の承認を得るまでの手続きの速さには納得がいった。

さて、レナーテの身の周りの世話を任《まか》された十七歳の少女ふたりは、ふたごの姉妹で、名をヘンゼルとグレーテルといった。たまご色のツインテールに、アクアマリンの大きな目をしたたいそう可愛《かわい》らしい姉妹である。けれどその性格にはずいぶんと差異があった。

まず姉のヘンゼルは、妹のグレーテル曰《いわ》く寡黙《かもく》な武闘派少女だった。この城の使用人のお仕着せは本来、くるぶし丈《たけ》のスカートだそうだ。しかし彼女は動きにくいという理由で勝手に大改造したらしく、大きなリボンタイ付きのブラウスにジレ、膝上丈《ひざうえたけ》のかぼちゃパンツに白タイツを装備していた。もはやチョコレート色の生地《きじ》しか原型をとどめていない。

一方、妹のグレーテルはお菓子作りとぬいぐるみ作りが趣味という夢見る少女だった。しかしやはりお仕着せを改造しており、スカートは膝上丈まで短くした上、裾《すそ》にレースを大量に施《ほどこ》し、スカートの内側にはパニエを何重にもして原型の十倍くらい膨らませていた。

階段の下から覗《のぞ》いたら下着が見えてしまうのではないかとレナーテが指摘したところ、グレーテルはスカートの裾をガバッとめくり、「ふふ、この通り、下着のドロワーズの上に、さらに見えても良い仕様の『見せドロワーズ』を穿《は》いておりますので、問題ありませんの」と誇らしげに微笑《ほほえ》んだのだった。

ふたごはレナーテを着飾らせると、次にはティーワゴンを運んできて、いそいそとお茶の準備をはじめた。

「『坊主憎けりゃ袈裟《けさ》まで憎い』ということわざが、東の最果ての小さな島国にあるそうなのですが……」

レナーテのカップにクランベリーのハーブティーを注ぎながら、グレーテルがだしぬけに言った。

「殿下の場合、『レナーテ愛《いと》しけりゃ薔薇《ばら》まで愛し』といったところですわね。今朝方、レナ様のご生家より引っ越してきた薔薇のすべてを庭師たちが温室に植え替えたのですけれど……。殿下ったら、まるで軍隊の指揮官のように薔薇の植え方を細かーくチェックなさりながら、『くれぐれも慎重に扱いなさい。花片《はなびら》一枚散らさないように』というせりふを一五〇回は繰返していたそうですの」

生家で品種改良している薔薇たちのことが気になっていたレナーテは、昨夜、ふたごを通して、メルヒオールに『できれば生家の薔薇をぜんぶ城の温室に移したい』という要望を伝えた。彼は『もちろんそのつもりでいました』と快諾《かいだく》してくれたが、まさか一夜にして薔薇の大移動が完了するとは思わなかった。

「温室を見に行きたい」

もともと薔薇の世話をするのが日課だったレナーテは、そわそわしながら言った。すると、グレーテルが困ったように眉《まゆ》を下げた。

「なりませんわ。レナ様はまだ安静にすべきで、外気に触れてはならないと殿下がおおせなのです」

「そうだ。殿下のご命令ゆえ、諦《あきら》めろ」

ツヴィーベルクーヘン（玉ねぎとベーコンのキッシュ）を無表情で切り分けながら、ヘンゼルも頷《うなず》いた。レナーテは眉を寄せた。

「メルは心配性なのね。博物学者なら、人体がそれほどやわにできていないことは承知しているはずなのだけれど……」

「まぁいやですわ、レナ様ったら！」

すかさずグレーテルが言った。

「それは愛ですわよ！　ねえヘンゼル？」

「私にはそういうことはよくわからない」

すげなく返したヘンゼルを、グレーテルは「もーっ、ノリが悪いんだから！」と、ぽかぽかと叩《たた》いた。それからふたごはどさくさにまぎれてレナーテと一緒にお茶の席についた。

お茶とツヴィーベルクーヘンをすっかりたいらげ、その後もひとしきり（主《おも》にグレーテルが）たわいもないお喋《しゃべ》りをしたあとで、ふたごは「図書館からレナ様のお好きそうな本を借りてお持ち致しますね」と言って、ティーワゴンを押しながらその場を去っていった。

メルヒオールの蔵書《ぞうしょ》には興味があったが、ただ待つ時間は退屈だった。薔薇のことが頭を離れなかったので、レナーテはいっそ彼に外出の許可をもらいにいこうと思い立った。

部屋を出て、黄金の燭台《しょくだい》が並ぶ廊下を歩いていると、どこから出てきたのか白猫のクラウディアがついてきた。レナーテはいまだにメルヒオールの言いつけを守ってドレスの袖《そで》の下の手首に黒いリボンを巻いていたので、引き寄せられてきたのかもしれない。

「クラウディア……あの、よかったら、わたしをメルのところに案内してくれる？」

クラウディアは『にゃあ』とひと声鳴くと、ついておいでとでもいうように毛の長い尻尾《しっぽ》を揺らしながらレナーテの前を歩き出した。

行き着いた先は薄暗い地下だった。

『実験室』というプレートがかかった飾り気《け》のない扉の前でクラウディアはとまった。

レナーテは扉をノックしようとしたが、急に気が引けた。

自分のつまらないわがままのために、扉の向こうで実験に集中しているであろう彼の気を散らしてはいけないと思ったのだ。

「……やっぱり、やめる」

小声でそう呟《つぶや》いたときには、気まぐれな白猫はもうどこかに行ってしまっていた。

レナーテは地上階に上がったが、部屋には戻らなかった。

城の庭に危険な精霊が潜《ひそ》んでいるならともかく、メルヒオールはただレナーテが外気に触れないように、彼女に屋内にいるようにと命じただけだ。

（メルは実験中だし、すこしだけ薔薇を見て、すぐに部屋に戻れば、たぶん気づかれない）

レナーテは周囲に人気《ひとけ》がないことを確認すると、広間のバルコニーから庭園に出た。

温室がどこにあるのかは知らなかったが、適当に庭を歩いているうちに、案外すぐにガラス張りのドーム型の建物に行き着いた。

温室の扉の鍵《かぎ》は開いていた。レナーテが一歩、温室に足を踏み入れると、ハイヒールの踵《かかと》の音が温室中に反響した。ひやりとしたが、幸いにして温室には誰もいなかった。

メルヒオールが育てているのだと思われる、南国風の植物が極彩色の影を落とすあたりを通り過ぎて温室の最奥《さいおう》まで行くと、薔薇に彩《いろど》られた空間が広がった。

すべてレナーテが生家の温室に植えていた薔薇たちだ。

こちらのほうが土の質が良いのか、心なしか、生家で咲いていたときよりも生き生きとして見える。

懐《なつ》かしい薔薇の香りに包まれてレナーテがほっとしていると、

『告げ口しちゃお、告げ口しちゃお』

いきなり足もとから声がして、レナーテはびくりとした。下を見てみると、つまさきのあたりに青い目をした黒うさぎがいて、レナーテをじぃーっと見上げていた。

『レナーテのこと、告げ口しちゃお～！』

喋った。レナーテはふわふわした黒うさぎを両手でひょいと抱き上げた。

「自動人形《オートマタ》？　どういう仕掛けになっているのかしら。少しだけ解剖《かいぼう》してもいい？」

『げっ』

レナーテの手の中で、黒うさぎは思いきりいやそうな顔をした。

『解剖ってあんたメルヒオールみてぇな女だな。こえーこえー、とっととずらかろっと！』

パチン！　と木の実が弾《はじ》けたような音と一緒に、黒うさぎはレナーテの手中から消えた。

クラウディアと同じく、精霊だったらしい。まだ信じがたいことだが、メルヒオールが言った通り、この城には本当に超自然的な存在たちが当たり前の顔で闊歩《かっぽ》しているようだ。

（おどかすつもりではなかったのだけれど、悪いことをしてしまったみたい……）

レナーテが密かに落ち込んでいると、入り口の扉が開く音がした。黒うさぎが戻ってきてくれたのだろうかと思って見ると、入ってきたのは、ブラウスにジレという軽装に実験用の白衣をまとったメルヒオールだった。

「レナ。探したんですよ」

「メル……」

レナーテは表情には出さなかったが、内心、ひどく焦《あせ》っていた。彼は実験室にいたはずなのに、どうしてこんなに早く、自分がここに来ていることに気づいてしまったのだろう。

「……固まっているようですが、僕がここに来たことがそんなに意外でしたか？」

こちらに歩み寄りながら、メルヒオールが表情もなく訊《き》いてくる。おずおずと頷いたレナーテの前に、長身の彼が立つ。彼は腕を組んでレナーテを見おろした。

「告げ口妖精が僕に告げ口してくれたんですよ。『レナーテが部屋から消えた』とね」

「告げ口妖精……？　黒いうさぎ……？」

「ご覧になりましたか」

「さっきまでここにいたの。……あの、探したということは、告げ口妖精はあなたに、わたしの居場所までは教えてくれなかったのね」

「そういう妖精なんです、あれは。決して嘘《うそ》はつかない代わりに、情報の出し方がひねくれていたり、もったいぶった言い回しをする」

「で、でも、見た目はとても可愛い妖精ね」

レナーテは微笑みながら彼から視線を逸《そ》らし、別の話題に持っていこうとした。

「そうですね、可愛いですね」

彼は棒読みでそう述べると、レナーテの顔に手を伸ばし、桜色の髪を指に絡《から》めた。

「ごまかそうとしても無駄ですよ、レナ。君は誰の許しを得て部屋を出たんですか」

優しく尋問《じんもん》されて、レナーテは小さくなる。

「ごめんなさい。ヘンゼルとグレーテルには外に出てはだめだと言われたの。でも、薔薇の引っ越しが済んだと聞いたら、じっとしていられなくなってしまって、それで……」

「……レナ、念のため言っておきますが、僕はいま怒っているのではなく、君の身体を案じているんですよ。ここに来るまでに冷たい風にさらされたのではないですか」

「そんなことないわ」

レナーテは首を横に振って言った。

「あなたが用意してくれたドレスは、襟も袖も詰まっているから、風が入ってこないの」

「ああ、そう。それは良かった」

メルヒオールが真面目《まじめ》な顔で返したときだった。彼の肩から、先程の黒うさぎがひょっこりと顔を覗かせた。

『告げ口しちゃお、告げ口しちゃお。ムッツリスケベで独占欲の強いメルヒオールは～、本当は防寒対策のためではな～く～、レナーテの肌をほかの男の目にいっさい触れさせないために露出度《ろしゅつど》の少ないドレスを～フゴァ』

早口だったのでレナーテにはよく聞き取れなかったが、突然出てきた告げ口妖精は、メルヒオールにハンカチを鼻に押し当てられたとたん、コテンと眠りについてしまった。

メルヒオールは花壇の隅に告げ口妖精を置くと、何事もなかったように話を続けた。

「お説教はこれくらいにして、薔薇のことで君に訊きたかったことがあるんです」

「なに？」

「こちらの薔薇なんですが」

メルヒオールの視線の先には、夕陽《ゆうひ》を溶かしたようなオレンジ色のミニ薔薇があった。

（あ……）

それは子爵家でマリオンに紹介したものの、彼には見向きもされなかった薔薇だった。

「……『アプフェルジーネ』よ。この秋に咲いたばかりの新しい品種なの」

白衣の裾が汚れるのも構わずにその場に屈《かが》みこみ、食い入るようにミニ薔薇を見つめる彼の後ろで、レナーテは遠慮がちにそう説明した。

「野茨《のいばら》の原種系ですか」

ミニ薔薇から視線を離さずにメルヒオールが訊《たず》ねてくる。彼のまなざしは薔薇の美しさにうっとりと見惚《みと》れる人のそれではなく、たとえるならば生物学者が顕微鏡で微生物を観察するときのような、真剣な目つきだった。

「そうよ。さすがメルね。でもあなたが薔薇のことにまで詳しかったら、りんごと薔薇が専門のわたしの立つ瀬がなくなってしまう」

レナーテが少し笑い、冗談めかして言うと、メルヒオールはようやく立ち上がってレナーテのほうを振り返った。

「しかし、僕には魅力ある薔薇を生み出すことはできません。薔薇の品種改良には植物学の知識と技術力に加え、柔軟な発想と閃《ひらめ》き、そして美的感覚が必要なのではないでしょうか。君はそのすべてを備えている。僕にはないものです」

憧れの博物学者に面と向かって褒《ほ》められて、レナーテは頬が熱くなるのを感じた。

「……アプフェルジーネ。美しい薔薇ですね」

それはきっと、彼にとってはなんでもない一言だったのかもしれない。

けれども常に研究者としての誇りを持って薔薇の品種改良に取り組んでいるレナーテにとって、こんなにも特別で、胸が温かくなる言葉はなかった。


メルヒオールはレナーテの健康に問題がないことを女医に入念に調べさせた上で、翌日からレナーテが城の外に出ることを許可した。

彼との結婚が決まってからのレナーテの気がかりのひとつは、結婚後もこれまでのように、樹木医として農家を見て回ることを彼が許してくれるかどうかということだった。

平民の女性が結婚してからも外で働くのは普通のことだったが、貴族や王族に嫁《か》すとなれば事情は違ってくる。レナーテは彼の名に恥じることはしたくなかったので、もしも仕事をやめてほしいと言われたら、それに従い、後継者探しをしなければならなかった。

しかしレナーテの不安は杞憂《きゆう》に終わった。

メルヒオールは迷いやすいカレンデュラの森から村に出るまでは供をつけることを条件に、レナーテがいままでと同じように仕事と研究の日々を送ることを承諾《しょうだく》してくれた。

『恥どころか、領民のために奔走《ほんそう》してくれる才媛《さいえん》を妻に迎えることは僕の誇りです』

……ただし無理だけはしないように。と、彼は言い添えるのを忘れなかったが、彼のおおらかさは、城にきてからずっと緊張していたレナーテの心をほぐしてくれた。

その日、レナーテはある農家から、りんごの木の一本に異状が見られるという相談を受けた。

葉に斑《ふ》が入ってしまうというのだ。

その葉の一枚を採取して、レナーテは日暮れ前に城に戻った。

レナーテの自室は、徐々に生家のようになりつつあった。机の上にはうず高く書物が積まれ、部屋に設《しつら》えられていた棚にはすでに必要最低限の実験器具が並んでいる。レナーテは書き物机の前に着き、シャーレの中で薬液に浸《ひた》した葉の断片を顕微鏡で覗きこんでいた。

(良かった。病気ではなく、ただ部分的に葉緑素が失われているだけみたい)

レナーテがほっとして顕微鏡から顔を離したときだった。

『告げ口しちゃお、告げ口しちゃお』

背後で声がした。見れば、茶器が並べられた丸いテーブルの上に黒うさぎが載《の》っていた。先程ヘンゼルとグレーテルが用意してくれた、菫《すみれ》の花の砂糖漬けが載ったザッハトルテを手づかみでむしゃむしゃと食べ、ペパーミントティーで流し込んでいる。

レナーテは書き物机を離れると、神出鬼没の告げ口妖精に訊ねた。

「今度は誰に、なにを告げ口するの?」

今日は後ろ暗いことはなにもなかったので、レナーテはやや強気な態度に出てみた。が、

『レナーテに、メルヒオールの告げ口～』

返ってきたのは予想外の答えだった。

レナーテは黒うさぎを抱き上げると、チョコレートまみれのうさぎの口を片手で塞《ふさ》いだ。

「勝手にメルの告げ口をするのはだめ」

告げ口妖精はじたばたと暴れながら、『むぐぐ～』と苦しそうに呻《うめ》いた。気道を完全に塞《ふさ》いでしまっていたことに気づき、レナーテが謝罪して黒うさぎの口から手を離すと、うさぎは隙《すき》ありとばかりにいきなり早口で言った。

『メルヒオールは～、実は～、七年も前から～、そしていまもなお～、空色の髪、サファイアの目をした娘を愛し続けてま～す！』

レナーテは、目を見ひらいた。

『ひっひっひっ。じゃ～な～』

告げ口妖精は意地悪な笑みを浮かべると、パチン！　という音とともに消えてしまった。

レナーテはしばらく思考が停止したように、その場から動くことができなかった。

――告げ口妖精は、決して嘘をつかない。

そうレナーテに教えてくれたのは、ほかの誰でもなく、メルヒオールだった。

空色の髪に、サファイアの瞳――。

そんな天使のような容貌《ようぼう》に恵まれた少女といえば、レナーテには、ひとりしか心あたりがなかった。美しく、心優しい、年子《としご》の異母妹……アンネマリーである。

レナーテはゆっくりと視線を動かして、鏡台の鏡に映った自分の姿を見つめた。

薄紅色《うすべにいろ》の髪に、黄金《きん》の目。

どれほど美しいドレスで飾りたてようとも、その姿は、空色の髪にサファイアの瞳をしたアンネマリーとはあまりにもかけ離れていた。

胸に疼痛《とうつう》が走り、レナーテは心臓を押さえた。

血の気《け》を失ったその手は小刻みに震えていた。

メルは、わたしの命を助けてくれた。薔薇を見て、美しいと微笑んでくれた。

それでも──

（メルは、やはり、わたしを愛してはいなかった）

マリオンのように、彼もまた自分を透かしてアンネマリーの幻《まぼろし》を見ていたのだろうか。

そして自分はそのことに、傷ついているのだろうか。

レナーテにはわからなかった。

彼の本心は明らかになったのに、今度は自分の気持ちがわからなくなった。

はじめから、メルヒオールが自分に求婚してきた理由は不可解で、納得しがたいものだったではないか。そして愛のない結婚でも、自分はなんの感慨《かんがい》もなく、ただ淡々と受け入れたはずだったではないか。それなのに。

……それなのに、胸の痛みは激しさを増すばかりだった。そしてその痛みは、レナーテが博物学者として憧れ続けてきたメルヒオールに、いつしかひとりの男性としても惹《ひ》かれはじめていたのだという事実を、彼女自身に否応《いやおう》なく突きつけたのだった。

魔女が死なない童話《メルヒェン》
後編

V

――メルヒオールは七年も前から、空色の髪に、サファイアの瞳《ひとみ》を持つ娘を愛していた。

黒うさぎの姿をした告げ口妖精からそんな事実を聞かされた晩、レナーテは寝つけなかった。瞼《まぶた》を下ろしても微睡《まどろ》まないので、ついには眠ることを諦《あきら》めて、寝台の上で、黄金《きん》の瞳にぼんやりと夜の闇《やみ》を映した。

月の明るい晩なので、周囲の物の色も朧《おぼろ》げに判別できる。

寝返りを打った拍子《ひょうし》に短い髪がはらりと顔にかかり、レナーテの視界は薄紅《うすあか》く染まった。

紅い髪に黄金の瞳。

レナーテは、熱心な信徒から、魔女のようだと忌《い》み嫌われる容姿をしていた。

明るい空色の髪に、輝くばかりのサファイアの瞳を持って生まれたのは、顔立ちだけは自分とよく似たひとつ違いの異母妹、アンネマリーである。

(メルはわたしを愛していない)

五日後に夫となる人――メルヒオールが自分に求婚してきた理由が、わかってしまった。

彼にとって自分は、既婚者《きこんしゃ》であるアンネマリーの単なる身代わりに過ぎなかったのだ。

翌朝、レナーテはミルヒ村の、とあるりんご農家から手紙を受けとった。一本のりんごの木だけ、葉の形に異状が見られるという相談だった。

レナーテは領主であるメルヒオールの婚約者として、三日前からミルヒ村の西、カレンデュラの森の城で暮らしている。しかしレナーテは同時にミルヒ村で唯一《ゆいいつ》の樹木医でもあるため、城に移り住んでからも村人からこうした手紙が届いた。

レナーテはメルヒオールから与えられたドレスの中から、襟《えり》と裾《すそ》にレースがあしらわれたばかりの装飾の少ない一着を選んで着替えると、世話係のふたご姉妹とともに広間に向かった。バルコニーへと続く大きな窓から朝日が差し込み、天井《てんじょう》に下がったシャンデリアを星のように強くきらめかせていた。

メルヒオールの姿はまだなかったが、席にはすでに二人分の朝食の用意がされていた。ライ麦パンに、塩漬け肉の薄切り、チーズやピクルス、トマト、ゆで卵を添えたカルテスエッセン。お揃《そろ》いのツインテールが愛らしいふたごの世話係、ヘンゼルとグレーテルに椅子《いす》を引かれ、レナーテは席に着く。それからほどなくしてメルヒオールが現れた。

「おはよう、メル」

「おはようございます」

いつもと同じ丁寧《ていねい》な口調で返しながら、メルヒオールが正面の席に着く。漆黒《しっこく》の髪は一部跳《は》ねており、長い前髪がかかったエメラルドの瞳はどこか眠たげに見えた。ヘンゼルとグレーテルいわく、彼は朝に弱いようだった。メルヒオールは人形のように端整な顔の造作《ぞうさく》をしているが、言われてみればその肌は常に蒼白《あおじろ》く、低血圧の人の顔色である。

料理人がやってきて、レナーテとメルヒオールに本日のスープのリストを渡した。

かぼちゃのスープ、きのこのクリームスープ、トマトスープ……。どれにしようかレナーテはさっそく悩みはじめた。しかしすぐに視線を感じて顔を上げた。

「……わたしの顔に、なにかついてる？」

メルヒオールがリストには目もくれずにこちらを見つめているので、レナーテは困惑《こんわく》した。

すると彼は無言で立ち上がり、テーブルを迂回《うかい》してこちらに近づいてきた。

「昨夜は眠れなかったんですか、レナ」

「え？」

「顔色がよろしくない」

彼はそう言うと、椅子に座るレナーテの傍《そば》にひざまずき、下から案じるように顔を覗《のぞ》きこんできた。レナーテはこれには焦《あせ》った。彼は領主であり、この国の第二王子であり、なにより自分が尊敬する博物学者である。

「メル、立って。あなた……王子でしょう。そんな風にむやみに膝《ひざ》を折ってはいけない」

「当然です」

メルヒオールはきっぱりと告げた。

「僕がひざまずく相手は、後にも先にも父王と君だけです」

「陛下《へいか》はともかく、わたしは除外すべきだわ」

「敬愛する君の前で僕がこうすることの何がいけないんですか。そんなことよりも、先程の質問に答えていただきたいのですが」

もはや反論の余地もなく、レナーテは「えっと……」と口ごもった。眠れなかったと正直に答えれば、きっと理由を訊《き》かれるだろう。そうなったら返答に詰まると思い、レナーテは彼から目を逸《そ》らした。

「夜更《よふ》かしして本を読んでいたの」

「……なるほどね」

メルヒオールは無表情で頷《うなず》くと、やっと立ち上がってくれた。ほっとしたのもつかの間、レナーテは彼に両手でそっと顔を挟まれた。

「君はいつも人の目を見て話すのに、嘘《うそ》をつくときは目を逸らしますね。苦手な食べ物を訊いたときもそうでした。わかりやすくてたいへん結構です」

エメラルドの瞳を細め、彼は薄く笑んだ。

「今夜から、君の就寝前にはカモミールティーでも運ばせましょう。ご存じでしょうが、カモミールには睡眠改善効果があります」

陶器の質感でも確かめるように、彼の手が、レナーテの頬《ほお》の輪郭《りんかく》をなぞっていく。

広間の隅に控えていたグレーテルが（おそらく本人はひそひそ声で話しているつもりで）、「愛ですわ！　愛ですわよ、ヘンゼル！」と叫んでヘンゼルにうっとうしがられていた。

（愛ではないのに）

わかっているのに、レナーテは混乱した。優しく頬に触れられていると、まるで、アンネマリーではなく本当に自分自身が愛されているかのような錯覚《さっかく》を起こしてしまうのだ。

レナーテはもう自覚している。メルヒオールが自分を愛していなくても、自分は彼に惹《ひ》かれている。だから、レナーテは期待をしたくなかった。あとで彼が、やはり自分を透かしてアンネマリーの幻《まぼろし》しか見ていなかったのだと確信したときに、傷つくことを恐れたのだ。

レナーテはメルヒオールの緑の瞳を見つめ、彼の本心を探ろうとした。けれどその目は澄んでいながらもどこまでも深く、底に潜《ひそ》む感情を読み取ることはできなかった。

それからの四日間はめまぐるしく過ぎていった。結婚式の準備、そして樹木医の仕事に追われることになったからだ。

前者についてはレナーテがすべきことは少なかった。結婚は急なことだったので、式と披露《ひろう》宴《えん》は別の日程でおこなわれることになったためだ。披露宴はメルヒオールの学者仲間やミルヒ村のレナーテの友人らが招かれて盛大に催《もよお》されるというが、式はそうではなかった。

城の敷地にある小さな礼拝堂に村の神父を招き、神の前で愛を誓う。それを見守るのはカレンデュラの城の住人たちのみ。

「王族の結婚式は、もっと派手というか……見届け人が大勢いるものだと思っていた」

ある食事の席でレナーテが思ったことを口にしたとき、彼は、首を横に振った。

「第二王子の結婚式なんてそんなものです」

メルヒオールは微笑《ほほえ》みを浮かべて言ったが、口数はそれ以降、明らかに少なくなった。

この城に来てから彼と言葉を交わしていくうちに、レナーテは気がついたことがあった。

メルヒオールはいつでも、彼の家族——つまり王や王妃、王太子である兄の話をすんですることはなかった。それどころか、話題にすることを避けてさえいるようだった。だからレナーテもそれ以上、式については触れなかった。それに自分自身も、王侯貴族の前に魔女めいたこの姿を晒《さら》さずに済むならば、それに越したことはないと、密《ひそ》かに安堵《あんど》していた。

ともかくも式に関しては目前に迫ってもレナーテが忙しくなるということはなく、せいぜい婚礼衣装の試着をしたり、式の段取りを確認したりする程度だった。

ただ、樹木医としての仕事は多忙だった。

具合が悪いというりんごの木の葉を調べてみたところ、葉や花の生育不良を起こすモザイク病に罹患《りかん》していたのだ。

モザイク病によって、樹木は衰弱するが、枯死《こし》することはない。ただ隣接する樹木の枝を切った際に切り口から病気が伝染することがあるため、適切な処置が必要だった。幸いにして、今は待降節《アドヴェント》の初冬である。モザイク病を起こす害虫は寒さに弱いため、害虫駆除にはそれほどの労力を要さなかった。

けれど薬剤を調合するのに一日、萎縮《いしゅく》した葉を剪定《せんてい》するのに一日……そうやって仕事の日々を送っているうちに、レナーテはとうとう結婚式の当日を迎えていたのだった。


はぁ〜、と、グレーテルがため息をついた。

「レナ様のお美しい花嫁姿。もう少しだけこの目に焼きつけておきたかったのですけれど、これで見納めですのね……」

滞《とどこお》りなく式を終え、城内にある礼拝堂から私室に戻ってきていたレナーテは、扉続きになっている衣装部屋の姿見の前に立たされていた。

純白の婚礼衣装にヴェールをつけたレナーテの傍に侍《はべ》るのは、たまご色の髪を高い位置でふたつに結った世話係、ヘンゼルとグレーテルである。結婚式に参列してくれた彼女たちはつい今しがたまで華やかなゲストドレスに身を包んでいたが、式が終わると同時に、まるで魔法が解けたかのように、いつも通りのお仕着せ姿に戻ってしまった。お仕着せといっても、ふたごがまとうお仕着せは勝手に大改造されており、原型をとどめていない。

すなわちヘンゼルは白のリボンタイが付いたブラウスに、金ボタンがあしらわれたチョコレート色のジレ、同じ布で仕立てられた膝上丈《ひざうえたけ》のかぼちゃパンツ。その下に白タイツを穿《は》いている。お仕着せのドレスをいさぎよく男装に改造したヘンゼルの装《よそお》いに比べると、グレーテルのほうはまだかろうじてもとのお仕着せの原型をとどめていた。

　もともとはくるぶし丈のスカートを膝上丈まで短くし、内側に見せドロワーズ（グレーテルいわく、見せドロワーズとは、下着のドロワーズの上に穿くもので、見えても良い種類のドロワーズなのだという）と大量のパニエを仕込んだだけなのだから。

「ヘンゼル、わたくしレナ様の花嫁姿が惜しゅうございます！」

「グレーテル、口ばかり動かしていないでさっさと手を動かせ」

　ヘンゼルは無表情で妹をたしなめると、レナーテの頭に手を伸ばした。

　レナーテの薄紅色の髪は霞《かすみ》のようなヴェールに覆《おお》われていた。白薔薇のコサージュが外されれば、ヴェールはレナーテの華奢《きやしや》な身体《からだ》を滑り落ちた。ヘンゼルがそれを受けとめる。

　これで見納めかと嘆《なげ》くグレーテルの気持ちはレナーテにもよくわかった。

　シルクサテンで仕立てられた婚礼衣装は、レナーテがこれまでに見てきたどんなドレスよりも美しかったからである。

　首からデコルテは一見すると素肌のようだが、実際は蜻蛉《かげろう》の翅《はね》のように透けるリバーレースに覆われていた。肌に淡雪《あわゆき》が降りかかったように、純白の薔薇の模様が散らされている。肩口に花の蕾《つぼみ》のような膨《ふく》らみをもたせた袖《そで》は、上腕部のなかほどから手首にかけてはぴたりと身体の線に沿い、少女らしい花嫁の細さを強調していた。

ドレスは薔薇の花片《はなびら》のようにレースが幾重《いくえ》にもなった胸の下で切り替わる。

くるぶしまでゆったりと流れるアンダースカートは、裏地をつけたオーガンジーである。そこにちりばめられた細かな真珠や水晶が星のようにまたたくので、夜空にかかる極光《オーロラ》か、月光のとばりを、見る者に彷彿《ほうふつ》とさせた。

アンダースカートにかさねたオーバースカートは前開きで左右に分かれており、それぞれの縁《ふち》に、銀糸《ぎんし》で蔦薔薇《つたばら》の刺繍《ししゆう》が施されていた。胸の膨らみの下を起点とする薔薇の装飾は、たおやかなつま先を越え、足元で水の輪のように広がる裾に至るまで、一糸《いっし》の乱れもなく続いている。のみならず銀の薔薇は鏡に映したように左右対称に満開の花を咲かせるか、あるいは、蕾を結んでいた。

後ろのドレープにはシルクサテンが惜しみなく使われている。それが若い花嫁の婚礼衣装に上品さだけではなく、装飾菓子のように可憐《かれん》な甘さを添えているのだった。

この婚礼衣装は、メルヒオールが治める領地から仕立屋や刺繍師が総動員され、わずか一週間のうちに仕立てあげられたものだった。

しかしその美しさ、丁寧《ていねい》さはとても短期間のうちに作られたとは思えないほど見事であった。縫い目の大きさはすべて均等であったし、ほころびひとつない。

レナーテは丹精を込めて婚礼衣装を作ってくれた領民たちに心から感謝した。

「名残惜《なごりお》しいですが、脱がさせていただきますわ、レナ様……」

グレーテルはさも残念そうな口調で言いながら、レナーテの背後に回った。

「ありがとう、お願いね」

レナーテは鏡越しにグレーテルに微笑《ほほえ》みかける。これだけ豪奢《ごうしゃ》で複雑な婚礼衣装を着脱するには、さすがに人の手を借りなければならなかった。

グレーテルの手によって、ドレスの後ろで編みあげられていた細いリボンが解かれていく。首の後ろから肩甲骨《けんこうこつ》のあたりにかけて、一列に並んでいた真珠のボタンが、ひとつひとつ外されていく。あらわになっていく肌を他人のもののように眺めながら、レナーテは式のことを思い返していた。日没後、星がまたたきはじめた頃に執《と》り行われた結婚式は、あくまでも儀礼的かつ、短時間のうちに幕を閉じた。

白い石造りの礼拝堂は、ステンドグラスから差し込む月あかりと燭台《しょくだい》の焔《ほのお》に淡く照らされて、冷たいほどの静謐《せいひつ》さに満ちていた。

メルヒオールが積極的に招いたわけでもないようだが、この城に住む者はみなふたりが結ばれる瞬間を見届けようと、礼拝堂に集まってくれた。何列にもなった長椅子《ながいす》にはヘンゼルとグレーテル、食事の席でいつも見かける料理人に加え、まだ会ったことがなかった使用人たち、それにメルヒオールの弟子らしき、十四、五歳の少年の姿もあった。

よく目を凝《こ》らすと、人の足元や椅子の陰に、告げ口妖精の黒うさぎや、白猫の精霊のクラウディア、その他、リスや子狐《こぎつね》、羽の生えたよくわからない動物たちの姿も見受けられた。

奇妙な面々ではあったが、告げ口妖精でさえ私語を慎《つつし》む厳粛《げんしゅく》な空気の中、式は淡々と進行していった。

レナーテはメルヒオールと指輪の交換をし、神の前で愛を誓い、口づけを交わした。

「さあレナ様、こちらへどうぞ」

グレーテルの声に、我に返る。レナーテの婚礼衣装は完全に脱がされていて、コルセットとシュミーズをつけたばかりの姿になっていた。ヘンゼルとグレーテルに両手をとられ、浴室に向かう。これからふたりがかりで髪や身体、爪《つめ》の先まで清められるのだ。

レナーテはカレンデュラの城で暮らすようになってからも、入浴に人の手を借りることはなかった。

だが、今夜は特別だった。夫と同じ寝室で眠る、はじめての夜だからだ。

Ⅵ

入念に磨かれた爪は鳳仙花《バルザミーネ》で薄桃《うすもも》色に染められて、桜色の髪、白い首すじには、ほのかに香る百合《ゆり》の香油を少しだけ塗られた。肌には薄化粧を施《ほどこ》され、唇《くちびる》には艶《つや》を帯びた珊瑚《さんご》色の紅《べに》を差される。

レナーテはフリルやレースが控えめにあしらわれた寝衣《しんい》をまとい、広い寝台の縁《へり》に腰かけていた。膝《ひざ》の上では白猫の精霊、クラウディアが丸くなっている。

てっきりこの猫は、自分がメルヒオールからもらったリボンを身につけているときしか懐《なつ》いてくれないのかと思っていたが、そうでもなかったようだ。あるいは猫に特有の気まぐれさを発揮したのか……。ともかく、ヘンゼルとグレーテルに夫婦の寝室に通されたあと、すぐにひとりにされてしまったレナーテの前に、クラウディアは幻《まぼろし》のように現れた。

それから自然とレナーテの膝の上におさまって、とろとろと微睡《まどろ》んでいるのだった。

「おまえは呑気《のんき》でいいわね」

レナーテはクラウディアの長い毛並みを撫《な》でつつ、非難がましい口調で言った。

「なにも悩みがなさそうな顔をして……」

猫と話していれば気が紛《まぎ》れるかと思ったのだ。けれど効果はあまりなかった。

レナーテの緊張は刻一刻と張りつめていく。

婚礼衣装を着ていたとき、胸や腰をきつく締めあげていたコルセットは、今は外されていた。さらさらとした上質な絹《きぬ》が素肌にあたる感触は、平生であれば心地良いと感じただろうが、いまのレナーテには心細さを増長させるものでしかなかった。

ふたごの世話係も、掃除係も、給仕係も今夜はもうここへは来ない。次に扉がひらくのは、夫となったメルヒオールが訪れるときだった。

レナーテは落ち着かず、周囲を見回した。

夫婦の寝室は木の質感を生かした調度類で統一されている。暖炉の火で、部屋は適度な温度に保たれていた。

紗《しゃ》のとばりがおろされた天蓋《てんがい》つきの寝台は、手入れが行き届いており、光沢《こうたく》がある。

糊《のり》のきいた真新しいシーツには演出のように白い薔薇《ばら》の花片《はなびら》が散らされていた。

いかにも上質そうな毛布はふわふわとしていて、クラウディアの毛並みと同じくらい手触りが良く、温かい。けれどもレナーテの胸は、窓一枚を隔《へだ》てて吹く、十二月の風のように冷えきっていた。

男女のことはよくわからないが、結婚した自分の身に、なにが起こるかはわかっている。

レナーテは自分の唇に触れた。誓いの証《あかし》としてそこにかさねられた、彼の唇の滑らかな質感、朝露《あさつゆ》を帯びた花片《はなびら》のような冷たさが、まだそこに淡い余韻《よいん》を残しているようだった。

レナーテは人の唇というものが、これまで自分が想像していたよりもずっと柔らかかったことをはじめて知った。指先で自分のそれに触れても柔らかいと思ったことはなかったし、今も同じだ。唇でそれに触れると柔らかいと感じるのは、そこが敏感な器官だからだろうか。

そして軽くあわさった唇が離れていったとき、レナーテの胸に、これで本当に自分は彼のものになるのだという実感が生まれた。覚悟はできたものだとばかり思っていた。

けれど。

ノックの音が響き、ゆるやかに部屋の扉が開いたとき、レナーテは肩を震わせた。

入室してきたメルヒオールが、後ろ手に扉を閉める。彼は上着もジレもまとっていなかったが、それ以外の格好は普段と変わらないように見えた。就寝時の装いにしては堅苦しいように思うが、もしかしたら第二王子という立場上、夜襲にでも備えているのかもしれない。

とはいえ、ブラウスにはさすがにいつものようなスカーフや胸飾《ジャボ》りといった装飾はなく、常にきちんと留《と》められているボタンも二つ外されていた。

表情もなく彼がこちらに歩み寄ってくる一方で、レナーテは完全に硬直していた。

寝台に腰かけたまま彼の姿を凝視《ぎょうし》していたが、ブラウスから覗《のぞ》く彼の鎖骨《さこつ》や、薄くしなやかな筋肉がついた胸の線を目にしたとき、反射的に彼から目を逸《そ》らしていた。

クラウディアをぎゅっと抱きしめて俯《うつむ》いていると、目の前にメルヒオールが立った。

「今日は疲れたでしょう」

ねぎらいの言葉をかけられる。

返事をしなければと、レナーテは乾いて貼りついていた唇を、なんとかしてこじあけた。

「緊張はしたけれど、素晴らしい式だったわ」

クラウディアを抱く手に力を込めながら、レナーテは続ける。

「精霊たちまで列席してくれるなんて」

「招いたのはクラウディアだけです。ほかは呼んだ覚えはありません。勝手に来るんです。

……ところでレナ、クラウディアが窒息《ちっそく》しそうになっていますよ」

指摘されて、レナーテはクラウディアが自分の腕の中でじたばたと暴れていることに気がついた。

「あ……ごめんなさい」

慌《あわ》ててクラウディアを解放すると、クラウディアは『にゃあ』と恨《うら》めしそうにひと声鳴いて、その場から霧《きり》のように姿を消してしまった。

レナーテはクラウディアの機嫌《きげん》を損《そこ》ねてしまったことを猛烈に後悔した。クラウディアがいなくなったことで、寝室には完全にふたりきりになってしまったのだ。こんなときに限って、告げ口妖精も出てこない。

「レナ、寝ましょう」

唐突にメルヒオールが言った。

とうとうこのときが来たのだと、レナーテの身体《からだ》は急速に冷えていった。

「そうね」

上の空で返したはいいが、レナーテは身動きすることができなかった。

メルヒオールの影が動く。傍で寝台が軋《きし》む音がして、レナーテは震えた。先に寝台に上がったメルヒオールに上腕部を摑《つか》まれて、寝台の上にぐいと引き寄せられる。シーツの上に敷きつめられていた白い薔薇の花片が、風をはらんでふたりの周囲を舞った。

レナーテは次に自分がとるべき行動がわからず、とりあえず膝を突き合わせるような格好でメルヒオールと向かい合った。

「君は座って眠る習慣でもあるのですか」

あるわけがない。レナーテは黙って首を横に振った。

するとメルヒオールの手がレナーテの両の肩に添えられて、寝台に仰向《あおむ》けに倒された。その隣で彼も横になると、毛布を引き上げ、ふたりの身体をすっぽりと包みこんだ。それから彼の手によって、枕元の照明が落とされる。月が明るいので、部屋は真っ暗にはならない。

……静けさに包まれる。

「レナ」

唐突にメルヒオールが沈黙を破り、レナーテは「なに」と消え入りそうな声で返した。

「そんなに端に寄ったら落ちますよ」

「真ん中にいるつもりなのだけれど」

「いいえ、君は明らかに端にいます」

頑《かたく》なな口調にレナーテが視線を動かしてみると、確かに、本来ならば自分の頭の下に敷かれているべき枕が離れたところに見えた。枕ひとつぶんの距離を隔てて、闇《やみ》の中でも明るいエメラルドの双眸《そうぼう》がこちらを見ている。

レナーテは肘《ひじ》を使って少し上体を起こすと、じりじりと寝台の中央に——彼のほうに接近していった。その動作があまりにも緩慢《かんまん》だったせいか、レナーテは枕に頭を到達させる前に、伸びてきたメルヒオールの手に腰を引き寄せられた。レナーテは自分の位置におさまるどころか、彼の腕の中にすっぽりとおさめられてしまった。

　彼の息遣《いきづか》いや脈動を間近に感じ、レナーテの頬は熱く火照《ほて》った。壊れてしまいそうなほど自分の鼓動が速くなる。レナーテは度を失って彼の胸を押し返そうとしたが、寸前で思いとどまった。彼の腕から逃れる理由などどこにもなかったのだ。世間では初夜に妻が夫に身を任《まか》せることのほうが明らかに正しくて、そしてそれが自然なことだった。

　レナーテは彼の胸に頭を預け、つとめて身体の力を抜いた。背後にまわされていた彼の手が、そろりと背中を這《は》いおりていく。薄い絹越しにありありと彼の熱が伝わってくる。素肌に直接触れられているような妖《あや》しい感覚が走り、レナーテはぞくりとした。

　不快ではなかった。ただ。ただ……。

　レナーテが力なく彼の肩を掴んだとき、背を撫でていた彼の手がふいにとまった。

「レナ……」

　驚いたような声で呼びかけられて、レナーテは自分がひどく震えていたことを、彼に気づかれたのだと悟った。冷静であろうとし、夫に身を委《ゆだ》ねようと決めたはずなのに、身体が震えるのは抑《おさ》えられなかった。このまま気づかれなければよいと思っていたが、彼をごまかすことは、やはりできなかったのだ。

「君は、僕が怖かったんですね」

「違うの」

メルヒオールの顔が見られず、レナーテは彼の胸元で、必死にかぶりを振った。

「わたし……」

レナーテは、彼の腕に自分の手を添えた。それは自分が彼を恐れていないことを証明するための行為だったが、その指先もまた震えていて、かえって裏目に出てしまった。

「怖いのはメルじゃなくて、あの」

誤解などされたくないのに、絞《しぼ》り出した声すらも、レナーテの意志を無視して小刻みにわないていた。

「あの……」

何をしても、何を言っても墓穴を掘ってしまうような気がして、その先がもう続かない。

彼のことは、本当に怖くない。

自分を支配しているのはただ、未知の事柄《ことがら》に対する恐怖心、それだけだった。けれどそれを彼に伝えることをレナーテはためらった。十七にもなって……そしてこの期《ご》に及んで、子供のように夫に怯《おび》える自分が、なによりも恥ずかしかった。

「結構です」

あっさりとした言葉と同時に、ぽん、とレナーテの頭に手が置かれた。その瞬間、張りつめていた空気がにわかに和《やわ》らいだような気がした。それでレナーテはようやく顔を上げて、彼のおもてを見ることができた。日頃から表情に乏《とぼ》しいメルヒオールは笑ってはいなかったが、レナーテに注がれたまなざしはどこまでも温かく、負の感情は見られなかった。

「僕は馬鹿ではないので、君が言おうとしていることは正確に理解しました」

レナーテの顔に触れ、彼はさらに続ける。

「心配しなくても何もしません」

「何……も……？」

「一線は越えないという意味です」

直接的な言い方にレナーテは動揺したが、彼のほうは至って真面目《まじめ》だった。彼は論文に限らず、会話においても、婉曲《えんきょく》であったり、遠回しな表現をすることを嫌うようだった。

「君をここにとどめておくために性急に結婚の手続きをしましたが、君が僕に心をひらいてくれるまでは、君に手は出さないとお約束します」

「……でも」

「ずっととは言っていません」

レナーテの言葉を遮《さえぎ》って、彼は言った。

「しかし今はまだ抑制がききます。僕はだいぶ理性が発達しているほうですから、動物的な本能に自我を失わない自信があるんです」

レナーテは黙って彼の話に耳を傾けていた。この流れからいえば動物的な本能というのは生殖本能のことにほかならないだろうが、さすがに彼はぼかした。気を遣わせているようで、レナーテは申し訳ない気持ちになる。

「もっとも……」

メルヒオールは淡々と続けた。

「君が余計なことをしでかして僕の理性を崩壊させたときは、その限りではありませんが」

「余計なことって、なに？」

レナーテは訊いた。相変わらずメルヒオールに抱きしめられたままではあったが、震えはもうおさまっていた。少し間《ま》を置いてから、彼は言った。

「君も学者なのですから、それくらいはご自分の頭で考えてください。正解が導き出せずに僕に襲われても、それは君の自己責任です」

真面目くさった彼の発言にレナーテはなんだか気が緩《ゆる》んでしまって、思わず微笑《ほほえ》んだ。

「……ふふ」

「今のは特に笑うところではありません」

「だってメル、先生のような口ぶりなのに、言っていることが少しおかしいんだもの」

くすくすと笑っていると、メルヒオールは急にレナーテから目を逸らした。

「そうやって愛らしく不意打ちしてくるのが余計なことだと言っているんです」

「不意打ち？」

「もう寝なさい。僕はだんだんとあやうい気分になってきました」

メルヒオールは一方的に話を打ち切ってしまった。レナーテは瞼《まぶた》に口づけを落とされて、ほとんど強引に瞳《ひとみ》を閉じさせられる。

「おやすみなさい、レナ。良い夢を」

メルヒオールはレナーテの耳元で囁《ささや》くと、抱きしめていた彼女の身体を解放した。

「……おやすみなさい」

もう少しだけ、彼に触れていてほしかった。

けれど、彼が本当に触れたい女性は、自分ではない。

——動物的な本能に自我を失わない自信がある。

（メルは……）

隣に眠る少女が彼の愛するアンネマリーだったとしても、同じことを言えただろうか。

彼は早くも後悔していないだろうか。

アンネマリーと似ているのは顔立ちだけで、空色の髪、サファイアの瞳とはかけ離れたそれを持つ自分を花嫁にしてしまったことを。

レナーテは黄金《きん》色の瞳をあけて、隣でやすむ夫の姿を見つめた。

彼はもう眠ってしまったのか、貝殻《かいがら》のように薄い瞼を閉じている。カーテンの隙間《すきま》から差し込む月光に、頬は蒼白《あおじろ》く染まり、長い睫毛《まつげ》が薄墨《うすずみ》色の影を落としていた。レナーテとは異なる花の香りがする黒髪は、銀粉《ぎんぷん》でも刷《は》いたかのように艶《つや》やかに光っている。

レナーテは花や蝶や月に心動かされたときのように、純粋に彼を綺麗な人だと思った。

これまで彼をこうしてまじまじと見ることはなかったが、メルヒオールは天使か……そうでなければ魔性《ましょう》のもののように妖麗《ようれい》な青年だった。

睡蓮《すいれん》の花片《はなびら》のような唇に目がとまる。

また頭に彼との口づけが蘇《よみがえ》ったレナーテは、急に顔が熱くなった。式のときからなんの感慨《かんがい》もなかった——というよりも、意識するまいとして冷静でいたのだが、彼が眠り、自分の緊張もすっかり解けたいまになって、鼓動が騒ぎはじめた。

彼の唇から視線を逸らしたレナーテは、ふと、毛布の上に置かれた彼の手を視界に留《と》めた。

レナーテの目はそこで縫いとめられた。

（……なに、これ？）

メルヒオールの手のひらと、ブラウスの袖《そで》から伸びた手首の、主《おも》に内側に、細い釘《くぎ》かピンで刺したような痕《あと》がいくつもある。

暗闇では古傷にも見えるし、発疹《ほっしん》にも見える。後者であればなにかの病気が疑われる。

レナーテはメルヒオールを起こさないように上半身を起こすと、彼の手首から指の先にかけてを、よく観察した。

（古い傷の痕みたい。……でも、どうしたらこんな傷ができるの？）

十数カ所にもわたり点々と散らばった傷痕をじっと見つめていると、

「レナは平気なんですね」

眠っていたとばかり思っていたメルヒオールが声を発し、レナーテは心臓が縮み上がったような思いがした。

「大抵の人はこの傷痕を見るとすぐに視線を逸らすんです。多くの人は集合体恐怖症だと言われているので、気味が悪いんでしょう」

「集合体というほど、密集しているようには見えないけれど。……痛むの？」

レナーテが訊《き》くと、メルヒオールは枕に頭を預けたまま、首を横に振った。

「いいえ。まだ王宮にいた頃の傷ですから」

メルヒオールが王宮にいた頃といえば、いまから七年以上も前のことになる。

(そんな幼いときに、なにがあったの。メル)

レナーテは気になったが、訊けなかった。

メルヒオールが家族の話をしたがらないことは、この一週間のうちにすでに把握《はあく》していた。すべて憶測でしかないが、彼はもしかしたら、王宮で不遇な幼少期を過ごしたのかもしれない。そしてもしもこの傷が彼にとって悲しい記憶の一片であるならば、彼に過去を語らせることは残酷なことだと思った。

レナーテは再び寝台に身を沈めると、痛々しい傷の残るメルヒオールの手をとり、両手で包み込んだ。彼の指がぴくりと動いたのがわかったが、レナーテは気づかないふりをして、彼のエメラルドの瞳を見つめた。

「メル、十八歳のお誕生日、おめでとう」

レナーテが口にすると、彼は案《あん》の定《じょう》、困惑《こんわく》の色を浮かべた。

「……唐突ですね」

「ええ。唐突に思い出したの」

「そうですか。ありがとうございます」

レナーテはいったん口を閉ざした。

彼に伝えたかったことを、言葉にしていいものかどうか迷った。

けれど今夜を逃したら、しばらく時機を失ってしまうような気がした。

(あなたが本当はアンネマリーを愛しているのだとしても……)

レナーテは勇気をふり絞り、彼の目をまっすぐにとらえたまま、小声で囁いた。

「わたしは、メルが好き」

レナーテの言葉は彼にとって完全に想定外のものだったようだ。彼はわずかに瞳を見ひらいた。驚かせてしまったのは悪いと思ったが、レナーテの気持ちは少し軽くなった。吹っ切れたのかもしれない。人の心は自由だ。だから彼が人妻のアンネマリーを胸の内で密《ひそ》やかに慕《した》おうと、誰にも――神にも咎《とが》められないし、同じようにアンネマリーを愛する彼を、自分が勝手に想《おも》うのも自由なのだ。

レナーテは彼の手のひらを包む手に少しだけ力を込めると、ふわりと笑った。

「生まれてきてくれてありがとう、メル」

「……レナ」

「こ、今度こそおやすみなさい……」

メルヒオールはきっと返答に困るだろうと思い、レナーテは彼の手から両手をパッと離すと、素早く瞳を閉じてしまった。

（……学者としてでもいい。あなたがいつか、少しでもわたしを必要としてくれたなら）

多分、幸せだと思う。レナーテは、理屈っぽいけれど優しい彼の傍に、ただ居たかった。

かすかな衣《きぬ》ずれの音がレナーテの耳をくすぐった。そっと伸ばされた彼の手が、レナーテの髪を優しく梳《す》きはじめる。

レナーテはここに来てから、幾度となく彼に髪を触《ふ》れられてきた。髪だけではない。肌にも、唇にも触れられた。メルヒオールは、魔女と同じ薄紅色の髪をしたレナーテに触れることを少しもためらわなかった。

その手はいつも温かくて、触れられていると、とても気持ちがよくて、ほっとする。

彼の指はすらりと長く、繊細な造形でありながらもやや無骨《ぶこつ》だった。遠い記憶の中にある母のやわらかな手とは似ても似つかないのに、レナーテは彼に髪を梳かれていると、優しかった母に頭を撫でられているような……そんな感覚に陥《おちい》った。

夢に落ちる直前に、レナーテは彼が呟《つぶや》いたのを聞いた気がした。

——礼を言うのは、僕のほうです。

彼の声は、かすかに掠《かす》れていた。

(……泣いているの？　メル……)

髪を梳いていた手がとまる。それを名残惜《なごりお》しいと感じるよりも早く、花が降るような優しさで、レナーテの唇に冷たく柔らかなものが押しあてられた。

切なげな吐息《といき》を残し、彼の唇が離れていく。

——七年前……君が、僕を、暗闇から……。

(……わたしが、あなたを……？)

レナーテは、瞼を持ち上げられないほど眠たくて、最後まで彼の言葉を聞き届けることができなかった。


パラ、と紙をめくる音がして、レナーテは目をあけた。夜が明けそめて間もないのか、部屋の中は淡い薄日に包まれていた。

「……起こしてしまいましたか？」

ぼんやりと寝台の天蓋を見つめていたレナーテは、その声に反応して隣を見た。

彼はいつから起きていたのだろう。

メルヒオールは上体を起こして、手紙とおぼしき、折り目がついた羊皮紙《ようひし》に目を通しているところだった。羊皮紙の下には封蠟《ふうろう》がされた、臙脂《えんじ》色の封筒が見える。

「ごめんなさい。わたし、寝坊……」

レナーテが慌《あわ》てて身体を起こそうとすると、片手で彼に制された。

「まだ早朝です。僕が早いだけですから、君はもう少し寝ていなさい」

レナーテはおとなしく、再び寝台に横たわった。けれど瞼は下ろさず、じっとメルヒオールを見つめる。

「メルはいつもこんなに早起きなの？」

「いえ、今朝は特別です。つい先程、王立大学から速達の手紙が届いたとかで、クラウディアに叩《たた》き起こされたんです」

「クラウディアが来ていたの？　気がつかなかった」

「君を起こさないように細心の注意を払っているようでしたからね」

「そう。別に起こしてくれても良かったのに」

意外と気を遣う猫のようだ。

「……ところで、王立大学からなんの御用？」

レナーテが訊くと、彼は手元の手紙に視線を落としたまま言った。

「僕は今、王立大学発行の博物事典の編纂《へんさん》事業に携《たずさ》わっているんです。しかし、どうもあちらの進捗《しんちょく》状況がよろしくないようで……応援の要請《ようせい》が来たんですよ」

「それでは、王都に行くの？」

「そういうことになります」

「いつから、いつまで？」

レナーテが訊くと、メルヒオールはやや言いにくそうに口にした。

「……たいへん急なのですが、本日これから。入稿期限が来週だそうなので、滞在期間は最大で一週間ほどになりますね」

「一週間……」

胸に、乾いた風が吹いた。それが寂《さび》しいという感情なのだと、一拍《いっぱく》遅れて気がつく。

「可能な限り早く片付けて帰ってきます。領主が長く城を空《あ》けるわけにはいきませんし、君をここに残していくことが気がかりです」

レナーテは身体を起こすと、寝台に並んで腰かけた彼の手に、自分の手をかさねた。

「あなたの留守なら、わたしが守るから心配しないで。温室の植物の管理もできるわ」

「……レナ。そういうことではなく、一週間も君の顔が見られないのは僕が寂しいと言っているんです」

「寂しい？」

「君も同じ気持ちであれば良いのですが」

「メルは」

レナーテは少し考えてから、彼のほうに身を乗り出した。

「わたしが寂しいと言ったら、嬉《うれ》しい？」

「偽《いつわ》りのない言葉なら」

レナーテは戸惑《とまど》った。彼がアンネマリーを愛しているならば、自分に寂しがられることはむしろ迷惑なのではないかと思ったのだ。

けれど今のように即答されると、また彼の気持ちがわからなくなり、混乱する。

レナーテがひとりで思案《しあん》に暮れていると、メルヒオールが瞼を押さえた。

「……期待させておいて黙りこむとは」

まあ良いでしょう、とメルヒオールはなかば諦《あきら》めたような口調で言いながら、ベッドサイドテーブルに手を伸ばした。彼が手にとったのは、白い絹張《きぬば》りの小箱だった。

「これを君に差《さ》し上げます」

レナーテは請われるままに箱を受けとった。

「王家では代々、夫婦が一夜をともにした翌朝に、夫が妻に贈り物をする習慣があるんです。正直なところ僕はしきたりなどはどうでも良いのですが、愛する妻に贈り物をすること自体は悪くないと思いましてね」

「わたしは素敵な習慣だと思うわ」

レナーテは思ったことを素直に述べてから、メルヒオールの瞳を見あげた。

「……開けてみてもいい？」

「どうぞ。もう君のものです」

真珠の光沢を帯びた小箱の蓋《ふた》を、レナーテは慎重にあけた。中には小さな紺色のクッションが敷かれており、そこにネックレスが置かれていた。鎖《くさり》は白金で、同じ色をした爪《つめ》に、冬の陽光を集めて固めたような、淡く透きとおった黄色の石が嵌《は》めこまれていた。

「綺麗な石……」

レナーテは朝の光に石をかざすと、感嘆《かんたん》の声を漏《も》らした。

「こんな色の宝石、はじめて見たわ」

「ですが既視感《きしかん》はあるはずです。その宝石は君の瞳と同じ色なのですから」

「メルは真顔で冗談を言うから、わたし、たまに反応に困るの」

「僕は冗談を好みません」

レナーテはさっそくつけてみようと、鎖の両端を首の後ろにまわした。しかし、彼女は苦戦した。昔から手先が不器用なのである。幼い頃は、花冠《はなかんむり》ひとつ綺麗に作れなかったくらいなのだから、まして小さな金具を留めるなどというのは至難の業《わざ》だった。

「貸してください」

見かねたようにメルヒオールが声をかけてきたので、レナーテはネックレスを彼に渡した。彼の手がうなじをかすめ、心臓が跳《は》ねあがったとき。後ろでカチリと音がした。

「……ありがとう」

レナーテはしどろもどろにお礼を言った。

「よくお似合いです。あとで鏡でご覧になってみてください」

メルヒオールは満足げに言ってから、寝台から下りた。

「メル、自分の部屋に戻るの？」

「はい。出立《しゅったつ》の準備をしなければ」

レナーテは思わずメルヒオールの手をとっていた。彼の手のひらに触れると、硬くなった、いくつもの古い傷痕の感触が伝わってくる。

先程はためらって口にできなかったことを、レナーテは勇気を出して伝えた。

「わたしも、寂しい」

「……本当に？」

エメラルドの瞳が、探るようにこちらを見てくる。レナーテは頷いた。

「本当よ。……わたしの気持ちは、昨夜、あなたに伝えたはずだわ」

レナーテは彼の顔を直視できなくなって、睫毛を伏せた。メルヒオールは繋《つな》がれていないほうの手で、レナーテの頬に触れた。

「わかりました。それなら僕が不在のあいだ、気が紛れるような宿題を君に出します」

「宿題？」

彼の指が、レナーテの頬から鎖骨《さこつ》へと移動してゆき、日だまり色の宝石に触れた。

「城の図書館の文献《ぶんけん》をあたって、この鉱物の名を、僕が帰ってくるまでに調べておいてください。ヒントは石言葉。その言葉は、君にただひとつ欠けているものです」

「わかったわ」

レナーテはかすかに安堵《あんど》して微笑んだ。

宿題を出されたということは、待っていれば、彼はちゃんとここに——自分のもとに帰ってきてくれるという証拠だからだ。

彼は理解できないといった風にレナーテを見おろすと、わざとらしく厳しい声で言った。

「宿題を出されて喜ぶとは感心ですね。僕は甘くないので、君が答えを間違えた際には罰を与えるつもりなのですが」

「どんな罰？」

レナーテの問いに彼は答えず、ただ薄く微笑んだだけだった。

（これで怖がらせているつもりかしら）

レナーテは落ち着いていた。罰と言っても、教育上の体罰などたかが知れている。よく、教師は出来の悪い学生の手の甲を小型の鞭《むち》で打《ぶ》つというが、せいぜいその程度だろう。

だからレナーテは別の質問をした。

「それでは、正解したら？」

「君の言うことをなんでも聞きます」

「簡単にそんな約束をしていいの？　わたしも、あなたが思っているほど甘くないのよ」

レナーテはおどかされた仕返しのつもりで言った。しかし彼は少しも動じなかった。むしろ面白がるように緑の瞳を細めた。

「自信があるようですが、難問ですよ。……せいぜい軽い罰で済むと良いですね」

彼はふいに身を屈《かが》めた。かと思えば、レナーテの頬に唇で触れる。予告もなく接吻《せっぷん》されて固まったレナーテをそこに残し、彼はさっさと夫婦の寝室をあとにしてしまった。


メルヒオールが王都に行く前に残していった『宿題』は、実際にとりかかってみると、確かに難問だった。彼が城を空けてから三日が経《た》っても、レナーテは日だまり色の宝石の正体を突き止めることができずにいた。

その日は樹木医としてすることがなく、レナーテは朝から書き物机の前に座っていた。膝の上には白猫のクラウディアを乗せ、机には分厚い鉱物事典を広げている。

黄水晶《シトリン》、黄玉《トパーズ》、日長石《サン・ストーン》。

思い当たる鉱物のページをひらいては細かい文字を追っているが、どれもネックレスの石だと決定づける要素には欠けていた。

ヒントは石言葉で、レナーテに欠けているものだと彼は言った。同じ鉱物でもその石言葉は文献によって異なるが、だいたいどの書物でも採択されている石言葉がある。例えば、
黄水晶は『友愛』。

黄玉は『誠実』。

日長石は『輝き』。

——といったように。日長石がもっとも怪《あや》しいと思ったが、自分に欠けているものが『輝き』であったとして、あのメルヒオールがそんな失礼なことを言うだろうか……。

「琥珀《こはく》は化石だから、鉱物ではない？」

膝の上のクラウディアに訊いてみると、『にゃあ』という答えが返ってきた。……琥珀の線は薄そうだった。多くの書物では石言葉が『長寿』となっている。メルヒオールが死神でもない限り、それがレナーテに欠けているかどうかなどわからないだろう。

「ほかに黄色い石……」

レナーテは頭を抱《かか》えた。植物学、動物学、鉱物学——博物学と総称されるものすべてに造詣《ぞうけい》の深いメルヒオールと違い、レナーテの知識は植物学ひとつに偏《かたよ》っていた。さらにその中でもりんごと薔薇のことにしか詳しくないのだから、全く専門外の鉱物となると、もはやお手上げ状態だった。

「わたし、罰を受けるのは怖くないの。でも、メルに出来の悪い人間だと思われるのは厭《いや》。だからなんとかして正解に辿《たど》りつきたい。ねぇクラウディア、わたしに欠けているものって、いったいなにかしら」

クラウディアは、レナーテの膝の上からちらりとこちらを見た。なにか教えてくれるのだろうか。レナーテが期待してクラウディアの反応を待っていると、コンコン、と部屋の扉をノックする音がした。

「レナ様、お手紙が届いておりますわ」

扉越しにグレーテルの声で告げられると、レナーテは「どうぞ、入って」と入室を促《うなが》した。ヘンゼルと一緒に部屋に入ってきたグレーテルから渡されたのは、緑の蠟で閉じられた一通の封筒だった。蠟には装飾文字で、アルファベットの『P』が型押しされている。

「それ、差出人不明なのですけれど……、Pなる人物にお心当たりはありますか？」

レナーテは封筒の表裏を見たが、表側に活版文字で『ローゼンベルグ子爵《ししゃく》令嬢殿』と記されているほかに記述はみあたらなかった。

「封蠟の『P』というのは、メルの姓、プリングスハイムの頭文字《かしらもじ》ではないかしら……」

「では、その手紙は殿下からだと？　殿下であれば、ご自分の名を明記しそうだが」

ヘンゼルの冷静な指摘に、レナーテは確かに……と思った。そしてレナーテはローゼンベルグ子爵令嬢には相違ないが、メルにそんな風に呼ばれたことはない。奇妙だが、開けてみないことにはなにもわからなかった。

「開封してみる。封筒の薄さからして、刃物や爆発物のたぐいは入っていないと思うの。脅迫文だった場合はメルの帰宅を待たずに、村の自警団に相談する」

グレーテルはヘンゼルと不安げに顔を見あわせたが、レナーテが退出を促すと、ふたごはやや躊躇《ちゅうちょ》してから部屋を出ていった。

レナーテは恐る恐る封筒にペーパーナイフを入れた。中身は——拍子《ひょうし》抜けするほど普通のカードだった。二つ折りにされた、片面が名刺ぐらいの大きさのカードの内側には、やはり活版印刷で、次のように記されていた。

君に逢《あ》いたい。
先日も伝えた通り、今日午後六時、王都の中央広場の宿《やど》り木《ぎ》の下で待っている。
ひとりでおいで。僕たちの関係は誰にも知られてはならないから。

レナーテの肩にクラウディアがぴょんと飛び乗ってきて、レナーテと一緒になってカードに目を落とした。

レナーテと、異母妹のアンネマリーはすでに嫁《とつ》ぎ、それぞれ王子妃と侯爵《こうしゃく》夫人におさまっている。ローゼンベルグ子爵令嬢と呼ばれるにはどちらも違和感があったが、それに該当《がいとう》する者は、この国においてはやはりレナーテかアンネマリーしかいなかった。

だからこの手紙が、自分かアンネマリーに届いた手紙であるのはおそらく間違いない。

そして差出人がメルヒオールであるならば、この手紙を本来受けとるべきは、アンネマリーのほうであったと考えられる。『僕たちの関係は誰にも知られてはならない』と記されているからだ。レナーテに宛てた手紙であるならば、この文面はおかしい。レナーテはすでに公然と彼の妻になったのだから、関係が知られるも知られないもないのだ。

「これはきっと、アンネマリー宛ての手紙だわ。『ローゼンベルグ子爵令嬢殿』としか書かれていないから、わたしのもとに誤送されてしまったのよ……」

レナーテは助けを求めるように白猫を見た。

「アンネマリーに転送すべき？　でも、もしもこの手紙の差出人が本当にメルだったなら……こんなの、いけないことだわ。密会だなんて……下手《へた》をしたら罪に問われる」

白猫は身軽な動きで机の上に飛び移ると、冷たい水色の瞳でレナーテの顔を見上げた。

「わたし、どうしたらいいの。メルには幸せになってほしい。だけど、これは不道徳なことよ。いずれ彼を――いいえ、彼だけでなくアンネマリーをも不幸にするかもしれない」

『あんたはどうしたいのさ、レナーテ』

いきなり間近で少年の声がして、レナーテは周囲を見まわした。しかし、この部屋には自分とクラウディアのほかには誰もいない。

「幻聴……」

どうやら自分は相当追い詰められているようだ。レナーテが嘆息《たんそく》したとき、机の上に置いた手を、猫の前脚でつんつんとつつかれた。

レナーテが前を見ると、クラウディアがこちらを見つめている。

そして、口を利《き》いた。

『幻聴じゃないよ。あんたってほんっと思い込みの激しい女だよな。陰気で根暗で、おまけに卑屈！』

ここまで悪態をつかれるほど自分は彼になにかしただろうか。いや、それよりも――。

「クラウディア、おまえ、人の言葉を話せたの？　そして雄《おす》だったの？」

『そう。こんな見てくれのせいで女みたいな名をつけられたけど、男だよ。精霊ならだいたい人の言葉くらい喋《しゃべ》れるさ。でも今はそんなことどうだっていいだろ。レナーテ、僕はあんたを見てるとイライラするんだよ』

「……わたし、おまえになにかした？」

『見てるだけでむかつくって言ってんの』

クラウディアは投げやりな口調で答えた。

『あんたにとって大事なのは、いつだって、第一に王子の気持ち、第二にも王子の気持ち、第三にりんごの気持ち。いや、薔薇の気持ち？　どっちだっていいけどさ。あんたの気持ちはどこにあるんだよ。本当は王子に愛してほしいくせに、自分が王子の一番になりたいくせに、人形みたいに心を閉ざして、王子が本当は自分の異母妹《いもうと》を好きでもいいとすら思ってる。悲劇のヒロインにでもなったつもりかよ』

レナーテは一方的に責められているうちに、だんだんと不愉快《ふゆかい》な気持ちになってきた。

「おまえには、わたしの気持ちなんか一生かかったってわからない。わたしだって、おまえみたいな銀の髪にアイスブルーの目をしていたら、こんな卑屈にはなっていなかった」

レナーテはさらなる反撃に備えたが、次に返ってきたのは予想だにしない言葉だった。

『あんたは充分綺麗さ、レナーテ』

ただ、と彼は言い添えるのを忘れなかった。

『笑わないからアンネマリーよりブスに見える。それだけだろ』

「……そんなこと」

『ある。あんたはさっき僕に訊いたね、「どうしたらいいのか」って。だったら答えてやるよ、あんたは中央広場に行くべきさ。そして王子が本当に愛しているのがあんたなのか、それともあんたの異母妹なのか、その目ではっきり確かめてきたらいいじゃないか』

「でも、この手紙は、そもそも本当にメルからの手紙なの？」

『そんなの僕が知るかよ。だいたい、あんたはそれを前提で話を進めてたじゃないか』

「そうだけれど、あくまでも推測で根拠がない。差出人はメルではないという可能性も」

『じゃあほっとく？　差出人が王子だった場合、あんたは今からの行動しだいで愛する夫と異母妹の密通を阻止《そし》できるのに』

「もしほんとうに密通だったら……？」

『とりあえず王子をぶん殴《なぐ》ったらいいんじゃないの。それとも……あんた、王子の本心を知るのが怖いとか？』

クラウディアが鼻先でせせら笑う。

「……怖いわ」

レナーテは俯いた。すると机の上に、ぽたり、と透明の雫《しずく》が落ちた。急に慌てふためきだしたのは、それまで生意気な口を利いていたクラウディアだった。

『お、おい、泣くなよバカ！　あんたを泣かせたなんてことが知れたら、僕が王子に殺されるだろ！』

レナーテは両手で顔を覆った。

「おまえは殺されたりなんかしない。だってメルは、わたしを愛していないもの」

『あーもー！』

わしゃわしゃと音がしたのでレナーテが顔から手を外してみると、クラウディアが人間のように、前脚で頭をかきむしっていた。

『この鈍感女！　宿題なんかもういいから王都に行くぞ！　あんた今日は暇《ひま》なんだろ！』

「暇じゃない。鉱物を調べないと……」

『いいか、レナーテ』

クラウディアは急に声を低めて言った。

『あんた、王子を見くびらないほうがいい。あいつは澄ました顔してるけど変態の策士なんだ。間違えようが正解しようが、あんたに同じことをしてくるぞ。だから頑張って鉱物の名を調べるだけ無駄だ』

クラウディアはすとん、と床に着地すると、レナーテのドレスの裾をくわえてぐいぐいと引っ張った。

「や、やめて。引っ張らないで。破れたらどうするの。わたしのドレスは全部メルに用意してもらった大切なものなのよ」

『ドレスが大事なら、僕についてくるんだね。さもなくばドレスどころか、王子が温室で育ててる植物をことごとく引っこ抜いてやる』

冗談ではないと思った。レナーテは彼が出立する前に、温室の管理は任せてほしいと彼に言ったのだ。植物に危害を加えられては、彼の自分に対する信用が失墜《しっつい》してしまう。

「……クラウディア。おまえはどうやら告げ口妖精よりもたちの悪い精霊だったようね」

いまさら気づいたのか、とばかりに白猫は瞳を細めると、レナーテの先に立って歩きだした。

レナーテは王都に行く旨《むね》を部屋に書き置きしてから、クラウディアのあとを追った。

カレンデュラの城に来てから、レナーテは婚礼衣装をはじめ、多くの衣服をメルヒオールより与えられた。そのうち肌を覆う生地《きじ》の面積が極端に狭いのは寝衣《しんい》だけで、ほかの外出着などはことごとく襟《えり》や袖が詰まっており、ドレスの丈も長かった。だから厚手の外套《マント》を着込んでしまえば、十二月の日没後であっても寒さはそれほど身にこたえなかった。

レナーテはカレンデュラの城を出てから街道までは徒歩で行き、そこで辻馬車《つじばしや》を拾った。老いた馬車馬の歩みはひどくのんびりしたものだった。馬車に乗ったときには中天にあった太陽は、王都の中央広場に着くころにはすでに西の地平線に沈んでいた。

レナーテは馬車を降り、御者台《ぎょしゃだい》に座る男に銀貨を渡した。来たときと同じ速度で馬車が去ってゆく。レナーテはコサージュのついた帽子を瞳の色が見えないように目深《まぶか》にかぶると、外套の中から顔を出した白猫を抱いて、中央広場を見渡した。広場にはまだ人の往来《おうらい》があった。降誕祭《ヴァイナハト》の市《いち》がひらかれているからだろう。満天の星の下、装飾灯で黄金色に浮かびあがる建物や噴水が幻想的で美しい。

レナーテは地元の人と思われる老婦人に声をかけると、広場のどこかに宿り木がないかと訊いた。老婦人が親切に場所を教えてくれたので、礼を言って歩きだす。

『あんたがあんまりうじうじしてるもんだからここに連れてきてやったけどさ』

レナーテの腕の中で、白猫が言った。

『僕は賭けてもいい。王子が愛しているのは、アンネマリーじゃなくてあんたのほうだってね』

「どうしてそんなことが言えるの？」

『どうしてもこうしても、知っているからさ』

「絶対に嘘をつかないという告げ口妖精が、メルが本当に愛しているのは、空色の髪にサファイアの瞳をした娘だと言ったのよ」

『はぁー』とクラウディアは大きくため息をついた。

『レナーテ、あんたは賢いかもしれないけれど、学者としては一生王子に及ばないね』

「何故《なぜ》」

『だってあんた、ガッチガチの石頭だから。……あ、宿り木ってあれじゃない？』

レナーテが視線を上げると、ここから二十歩ほど先に、球状になった葉の茂みがいくつも枝についた宿り木が見えた。朧《おぼろ》の闇に、星明かりを受けてぼんやりと浮かびあがっている。

このあたりは夜店のひとつもなく、死んだように静まりかえっていた。降誕祭の市の明かりが遙《はる》か遠くに小さく見える。

教会の鐘《かね》が鳴り、午後六時を知らせた。

（密会にはふさわしい場所だけれど……）

約束の時刻だというのに、メルヒオールはおろか、アンネマリーらしき少女の姿もない。

「ひと足遅かったのかしら……」

宿り木の傍に立ち、レナーテがクラウディアにそっと囁いたときだった。

「レナーテ」

背後から声をかけられた。

レナーテが振り返ると、そこには月を背にした夫の姿があった。黒檀《こくたん》の艶《つや》を帯びた髪に、透き通ったエメラルドの瞳。

「メル……」

レナーテは、泣きたいような思いでその名を口にした。彼はアンネマリーではなく、自分の名を呼んでくれた。

『レナーテ』と。

（……レナーテ？）

メルは自分を、レナーテとは呼ばない。

そこにいる彼は、微笑んでいた。

あくまでも穏やかに、瞳を細めて。

「あなたは」

レナーテはクラウディアを強く抱きしめ、震える声で訊いた。

「……誰？」

そのときだった。いつからそこに立っていたのか、レナーテの背後から別の手が伸びてきて、彼女の口を布で覆った。息を吸ったらきついアルコール消毒液のような匂《にお》いがした。

（これ、……トリクロルメタン……？）

麻酔薬だ。昔、ミルヒ村の病院の先生が、好奇心旺盛《おうせい》な子供だった自分にいちどだけ匂いを嗅《か》がせてくれたことがある。もっとも、そのときにレナーテが手にしたものはこれよりも遥かに薄められていたのだが……。

徐々に身体から力が抜け落ちてゆき、視界が白く霞《かす》んでいく。

――レナーテ！　レナーテ！

クラウディアの声が、遠くなっていく……。

◇◇◇

王立大学の博物学の研究室は、ひどい惨状だった。

窓のある一面を除き、壁中が本棚になっている狭い一室には書類や分厚い書物が散乱し、足の踏み場もなかった。徹夜で自分の原稿を書き上げた学生や教授らは死んだように書類の散らばる机に突っ伏《つぷ》して眠り、まだ担当項目の執筆が終わらない者は、充血した目で眠気覚ましのコーヒーを飲んでいた。

メルヒオールは彼らが満身創痍《まんしんそうい》で書きあげた原稿の校正をおこなっていた。徹夜で仕上げられた原稿には特に綴《つづ》りの間違いが目立つ。

（この学生、同じ綴りの間違いを何度も……）

恐らく間違って覚えたのだろうが、同じミスを何度も赤字で修正する作業をしているうちに、メルヒオールはすっかり不機嫌になっていた。出来の悪い学生には体罰が必要だ。あとで手の甲のひとつでも引っぱたいてやらなければ……そんなことを考えていると、彼にとって最も神経を逆なでする存在が、いきなりぬっと目の前に現れた。

『告げ口しちゃお、告げ口しちゃお』

告げ口妖精の黒うさぎだ。敏感な人間の目には精霊は映るものだが、「死屍累々《ししるいるい》」の研究室で告げ口妖精の姿を気にとめる者はなかった。

メルヒオールは無視して綴りの修正を続けたが、黒うさぎはお構いなしにペラペラ喋る。

『レナーテが〜、今現在〜、黒髪に緑の目をした王子様に襲われかけてま〜す！』

「……まだ襲っていませんよ」

彼はわずらわしそうに告げ口妖精に返したあとで、ペンを動かす手をとめた。

「黒髪に緑の目の王子……」

——それは自分のほかにもうひとり、この国にいるのだった。

Ⅶ

柔らかな動物の前脚《まえあし》で軽く頬《ほお》を叩《たた》かれて、レナーテは目を覚ました。

目の前にいるのはクラウディアだ。薄暗い闇《やみ》の中で、ふわふわした白い毛並みがぼうっと浮かびあがっている。レナーテと目が合うと、クラウディアは心なしかほっとしたような顔をした。

レナーテは冷たく固い床に肘《ひじ》をつき、上体を起こした。身体のふしぶしが痛む。ひんやりとした空気を感じ、レナーテは身震いした。ドレスに変わったところはなかったが、先程まで身につけていた帽子も外套《マント》も見あたらない。膝《ひざ》の上に乗ってきたクラウディアを抱き寄せ、レナーテは周囲を見回した。

薄赤い光がかろうじて闇を払っている。黒っぽい壁にとりつけられた燭台《しょくだい》には三本の蠟燭《ろうそく》が立ち、小さな焔《ほのお》が弱々しく揺れていた。

膝の上で、クラウディアがピンと耳を立てた。かと思えばレナーテの腕をすり抜け、闇の凝《こご》ったあたりに姿を消してしまう。

行かないで、と口にしかけたとき、レナーテの背後で、ガチャン、と、複雑な構造の鍵《かぎ》を解《かい》錠《じょう》するような、重厚な金属音が響いた。レナーテは振り返り、そして自分のいる場所が鉄格子《てつごうし》の内側であることを知った。

数歩先で、格子を開けて、長身の人影が入ってくる。そして格子の内側から外に手を伸ばし、また錠に鍵をかけた。長靴《ちょうか》の踵《かかと》が固い床を踏みしめる音が近づいてくる。

距離が縮まるに従って、徐々にその姿が浮き彫りになる。暗闇から姿を現したのは、タッセルと黄金《きん》の刺繍《ししゅう》で装飾された、純白の上着をまとった少年……いや、十代後半くらいの青年だった。漆黒《しっこく》の髪にエメラルドの瞳《ひとみ》、人形のように冷たく整った顔立ち。その姿はレナーテのよく知る人とまるで同じである。

けれど違う。

メルヒオールではない。

「……王太子……殿下……」

夫と同じ顔をしていながら彼でないというなら、夫のふたごの兄で王太子のアルフォンス・プリングスハイムにほかならなかった。

「レナーテ、意識が戻ったようでよかった。なかなか目覚めないから心配していたんだ」

アルフォンスは微笑《ほほえ》み、視線を合わせるようにしてレナーテの前にひざまずいた。

「……だって死なれてしまったら、私のせっかくの計画が台無しだからね」

アルフォンスの手が伸びてくる。レナーテは顔を両手で優しく挟まれた。反射的に身を引こうとしたが、思うように身体が動かない。おそらく、麻酔薬がまだ抜けていないのだ。

「ここは王宮だよ、レナーテ」

――ここが王宮？

レナーテは視線だけ動かして、暗く殺風景な空間を見渡した。王宮とはもっと華やかで、美しく着飾った人が大勢溢《あふ》れている……そんな場所ではないのだろうか。レナーテの戸惑《とまど》いを察したのか、彼は蛇《へび》のように目を細めた。

「とても王宮には見えない？　……まあ、そうだろうね。ここは地下の拷問《ごうもん》部屋だから」

ドクン、とレナーテの心臓が音を立てた。

父に殺されかけた、あのときの恐怖が、たちまちにしてレナーテを呑《の》みこんだ。

（逃げなければ……この人に殺される）

頭の中で警鐘《けいしょう》が響き、レナーテはアルフォンスの肩を押しやろうとした。だがその手首はあえなくとらわれ、レナーテは逆に強く彼の胸へと引き寄せられた。背に手を添えられて、見動きを封じられる。レナーテの頭上で、アルフォンスが吐息《といき》のような笑いを零《こぼ》した。

「怯《おび》える必要はない。私は拷問にかけるためにお前をここに連れてきたわけではないよ」

レナーテはその言葉を鵜《う》呑みにしたわけではなかった。だが少なくとも、今すぐに彼が自分に危害を加えようとしているわけではないことは理解した。

「手紙を書かれたのは、殿下だったのですか」

「そう、私だ」

「メルの名を騙《かた》っ……」

レナーテは途中まで言いかけて、口をつぐんだ。カードにはメルヒオールの名はひとつも書かれていなかったことを思い出したのだ。

「そう、私は弟の名など騙ってはいない。お前が勝手に勘違《かんちが》いしたんだ。メルヒオールがお前の異母妹《いもうと》に送った手紙が、なんらかの事故で自分のもとに届いてしまったのではないかとね。お前は愛する夫が異母妹と密通しているのではないか……気になって気になって、広場に来てしまった。……そうだね？」

アルフォンスの腕の中で、レナーテは沈黙した。中央広場に来るに至る最終的な引き金となったのはクラウディアの脅《おど》しだったが、自分が夫の密通を疑っていたのは、まごうことなき事実だったからだ。

くすり、とアルフォンスが笑った。

「私はお前がきっと広場に来ると確信していたよ。なぜなら、お前は私と同じだからだ」

「……同じ？」

「血を分けたきょうだいに、すべてを奪われるのではないかと恐れている。……強い劣等感をいだいている」

レナーテは困惑《こんわく》した。……王太子であるこの人が、メルに引け目を感じている……？

信じられないことだったが、レナーテは胸に頭を抱きこまれているせいで、アルフォンスの表情を窺《うかが》うことができなかった。

「お前に、王宮の秘密を教えてあげようか」

耳元で、アルフォンスが囁《ささや》くように言った。

「この王宮では昔からふたごが生まれると、先に生まれたほうは『栄光の子』とされて、玉座《ぎょくざ》が約束されるという決まりがある」

レナーテは、妙に納得した。どこの国の歴史をひもといても、王子がふたごであることは往々《おうおう》にして王位継承《けいしょう》争いの火種となる。しかしシュトロイゼル王国では血筋によるものか、過去にふたごの王子が生まれた例がいくつもあったにもかかわらず、争いの記録はひとつとしてなかったのだ。しかしふたごの兄が王太子になるのだとはじめから明確に定まっているならば、諍《いさか》いが起こらないのも頷《うなず》ける。

「……では、あとに生まれたほうは？」

アルフォンスが『栄光の子』ならば、メルヒオールはなんなのだろう……。レナーテの問いに、アルフォンスは淡々と答えた。

「魔性の力を帯びた『忌《い》み子』と呼ばれる。……そして十一歳の誕生日を迎えると、カレンデュラの森の城に送り込まれるんだよ」

「メルは、忌み子などではありません」

レナーテが思わず抗議すると、

「むしろ影の王子は私のほうだったんだよ」

アルフォンスの声は不気味なほど落ち着き払っていた。強い感情を無理やり抑《おさ》えこんでいるようなあやうさがあった。

「弟が城にいた頃、私は何においても弟に及ばなかった。学問でも武芸でも常に弟を見上げなければならず、おまけに病弱だった。『メルヒオール王子殿下のほうが王太子にふさわしい』。……高官たちが城の片隅で囁くのを幾度となく耳にした。それでも私の王太子位は揺らがなかった。何故《なぜ》かわかるか？」

「……国王陛下《へいか》が……」

レナーテは言葉を選び、慎重に答えた。

「敬虔《けいけん》な……信徒でいらっしゃるから」

「そうだ……敬虔どころではない。異常なまでに神を崇拝《すうはい》している。聖典で魔性《ましょう》とされるものをことごとく嫌い、排除しようとする」

レナーテの、魔女の象徴とされる紅《あか》い髪をアルフォンスが慈《いつく》しむように撫《な》でた。その手つきの優しさが、逆に、本当に恐ろしかった。

「だから父王は忌み子であるメルヒオールが玉座につくことを誰よりも嫌った。臣下の言葉に耳を傾けることもなく、あくまでも出来そこないの私を王太子位に縛《しば》りつけた」

　アルフォンスは、無機質な声で続ける。

「今なおメルヒオールを次期国王にと推《お》す声は多い。有能でありながら、忌み子だからという前時代的な理由で王宮から遠ざけられたメルヒオールに、誰もが同情する。けれど真に不幸だったのは私のほうだ。そう思わないか？」

　突然、抱擁《ほうよう》がきつくなった。胸を圧迫されて、その苦しさにレナーテは呻《うめ》いたが、アルフォンスはまるで気に留《と》めなかった。気づいてもいなかったのかもしれない。彼の語気に、次第に激しさが滲《にじ》みはじめた。

「私とて、望んで王太子になったわけではない。それなのに何故《なぜ》……、何故私が疎《うと》まれなければならないんだ！」

　突然の激昂《げっこう》にレナーテは震えた。すると、レナーテを抱きしめる力がふっと緩《ゆる》んだ。

「……弟が憎かった。臣下の誰からも愛されるメルヒオールが。だが、可哀想なメルヒオールは誰も愛することはなかった。レナーテ……ただひとり、お前を除いてはね」

　レナーテは乱暴に顎《あご》を掴《つか》まれて、上向かされた。視線を搦《から》めとられる。

　嫌悪も憎悪もなく、黄金色のレナーテの瞳をただ食い入るように見つめながら、アルフォンスは作ったように穏やかな声で言った。

「もう二週間も前になるだろうか。メルヒオールがカレンデュラの森に追いやられて以来、七年ぶりに王宮に姿を見せたときは大変な騒ぎになったよ。父王や私を殺し、玉座を奪いに来たのではないかと色めき立つ者もいた。けれど違った。心を閉ざし、誰も愛せなかったはずの弟が戻ってきた目的は、父にお前との結婚を認めさせるためだった。……レナーテ、私は、あんなに余裕のない顔をした弟をはじめて見たよ。お前はあいつによほど恋着《れんちゃく》されているんだね」

「メルの気持ちは、わたしにはわかりません」

「いや……お前は愛されている」

アルフォンスは暗い、しかし確信の籠《こ》もった声で言った。

「……至高の宝のように。だから私はわざわざお前をここに連れてきたんだよ」

「え……」

「弟の苦しむ顔が見たいんだ」

アルフォンスの長い指が、レナーテの肩に蛇のように絡みつく。ゆっくりと時間をかけて、毒のようにレナーテの身体を侵《おか》していた薬は、彼女を完全に無力にしていた。レナーテは花を折るよりも容易《たやす》く冷たい床に組み敷かれた。愛する人によく似た別人が、自分の上に覆《おお》いかぶさっている。レナーテは、彼が自分に何をしようとしているのかを悟った。

「こんな……ことをなさっても、無駄です」

「無駄？　大切な妻を犯《おか》されて、正気でいられる男なんてそういないと思うよ」

「本当に、わたしは、メルに愛されていないんです。ですから……」

こんなことはやめてほしい——澄んだ緑の瞳に訴えようとした声は、しかし、自分の悲鳴によってかき消された。足首に硬い、男の手の感触がした。節《ふし》くれだった手がドレスの裾《すそ》の下に潜《もぐ》り込み、ふくらはぎを伝って上へと這《は》い上がってくる。蛭《ひる》に吸いつかれているようなおぞましさに、全身に悪寒《おかん》が走った。

「やめて……！」

レナーテは彼の手を押しとどめようとした。渾身《こんしん》の力を込めているつもりなのに、やはり力が入らない。レナーテが視線を動かすと、暗がりにアイスブルーの光がふたつ見えた。

クラウディア——。消えてしまったとばかり思っていた猫が、まだそこにいた。

「助、け……」

藁《わら》にもすがる思いで、レナーテは声を振りしぼった。けれどレナーテの懇願《こんがん》もむなしく、光は、ふっと消えてしまった。

（嘘《うそ》……）

味方と思っていた精霊を失ったことで、レナーテはいよいよ絶望の淵《ふち》に叩き落とされた。

侵入してきた手に膝を掴まれる。額《ひたい》に冷たい汗が滲む。なんの手立てもないまま、腿《もも》の内側をゆっくりと愛撫《あいぶ》された——その瞬間、レナーテは恐怖で完全に我を失い、恐慌《きょうこう》状態に陥《おちい》った。レナーテは鉛《なまり》のように重たくなった腕を最後の力で持ち上げると、アルフォンスの頬を弱々しく張った。

アルフォンスが動きをとめた。そしてなんの感情も籠もらない瞳でレナーテの顔を見る。無意識のうちに爪《つめ》を立ててしまったのか、彼の白い頬には細く紅いすじが引いていた。

レナーテは口をひらいたが、謝罪の言葉を発する気力も、余力ももう残っていなかった。

アルフォンスは自分の頬に滲んだ血を手の甲でぞんざいにぬぐった。興《きょう》を削《そ》がれたのか、レナーテの下肢《かし》から彼の手が離れていく。けれど、レナーテは赦《ゆる》されたわけではなかった。気《け》だるげに立ち上がった彼はレナーテを見おろすと、ぞっとするほど冷たい声で言った。

「……仕方がない。従順にさせてあげるよ」

レナーテは二の腕を強く摑まれて、強引に立たされた。立ちくらみを起こして足がもつれる。アルフォンスはレナーテを一瞥《いちべつ》しただけで、彼女には構わなかった。レナーテは引きずられるようにして部屋の奥まで連れてゆかれた。

人の大きさ、人の形をした何かが、黒い布に覆われてそこに佇《たたず》んでいた。

アルフォンスはレナーテの腕を摑んだまま、もう一方の手で布を取り去った。

聖母の姿をかたどった像……にしては、何かがおかしかった。

首から下はほぼ円筒形になっており、胴にあたる部分には、蝶番《ちょうつがい》と取っ手がついている。鉄の錆《さ》びたような匂《にお》いがした。

「『鉄の処女《アイゼルネ・ユングフラウ》』……美しいだろう」

レナーテの耳の奥で、血がドクドクと脈打っていた。アルフォンスのしなやかな指が金具を摑み、静かに扉がひらかれていく。中は空洞になっていたが、ひらかれた扉の内側には、長い鉄製の棘《とげ》が無数についていた。

それまではうっすらと漂う程度だった鉄錆の匂いが濃密になる。それが鉄錆ではなく血の匂いなのだと気がついたとき、レナーテはよろめいた。しかしくずおれる前に、アルフォンスの手に髪を鷲摑《わしづか》みにされた。

「ほら、よく見るんだ」

無理やり顔を扉に近づけさせられる。内側についた黒い染《し》みは明らかに古い血痕《けっこん》だった。蒼《そう》白《はく》になったレナーテに、彼が暗い笑みを含んだ声音《こわね》で言った。

「かつてメルヒオールに死の恐怖を味わわせた拷問具だよ。あいつが六つのときだったかな。この城では父が法も同然なんだ。魔性のものを殺しても罪にはならない。だから父はこれで弟を殺そうとしたんだよ。臣下にとめられて、未遂《みすい》に終わってしまったけれどね」

レナーテの頰を、水晶の粒が転がるように、透明の涙が伝った。

メルヒオールと同じ寝台で眠ったあの夜。

彼の手の甲や手首に、いくつも、いくつも、古い刺し傷が散らばっているのを見た。

(……痛むの？)

あのときそう訊《き》いた自分に、彼は答えた。

(いいえ。まだ王宮にいた頃の傷ですから)

痛まないはずがないのに。

幼い頃に、こんな恐ろしい拷問にかけられて。胸の傷が癒《い》えるわけがないのに。

……苦しかった。

過去のメルヒオールに対する哀《あわ》れみと同情と共感、そして現在の彼に対する愛《いと》しさと恋しさ、そのすべてが奔流《ほんりゅう》となってレナーテを呑みこみ、その胸を激しく掻《か》き乱した。黄金色の瞳からとめどなく涙が溢れる。レナーテは声も発さずに、ただ頬を濡《ぬ》らし続けた。

「恐ろしい？　……可哀想にね」

アルフォンスが呟《つぶや》き、レナーテの頬に散った涙を舌先で丁寧《ていねい》に舐《な》めとった。

レナーテは虚脱《きょだつ》していた。

虚《うつ》ろな黄金の瞳に禍々《まがまが》しい拷問具を映したまま、茫然《ぼうぜん》と立ち尽くしていた。

「レナーテ」

お気に入りの玩具《おもちゃ》を弄《もてあそ》ぶようにレナーテの髪を撫でながら、そこに立つ彼は言った。

「ここで私のものになるか、死ぬか、どちらか好きなほうを選ぶといい」

この人は、何故こんなことを訊くのだろうとレナーテは思った。

答えなどわかりきっているだろうに。

「あなたのものになるくらいなら」

死んだほうがいい。

——そう続けようとしたときだった。

突如《とつじょ》として雷が落ちたかと思うような爆音が響き、突風がレナーテの髪やドレスの裾をひるがえした。

思わず目を閉じ、再びひらいたときには、拷問部屋は真っ白な硝煙《しょうえん》に包まれていた。煙の向こうに人影が見える。

レナーテは硝煙が目にしみるのをこらえ、まばたきもせずに、現れた人を見つめた。

「どちらもお断りだそうですよ」

完全に破壊された鉄格子の残骸《ざんがい》をまたいで、夜の闇のような髪に、深い知性をたたえたエメラルドの瞳をした——今度こそ、本物のメルヒオールが歩いてきた。その足元にはクラウディアがまとわりついている。

「ここまで派手にやるつもりはなかったのですが、申し訳ない。なにしろ徹夜明けでしたので、うっかり火薬の分量を間違えてしまいました」

悪びれもせずに、メルヒオールは笑う。

レナーテの腕を掴んでいたアルフォンスの力が緩む。レナーテはその隙《すき》をつき、アルフォンスの腕をすり抜けた。よろめく足で駆け出して、メルヒオールに抱きついた。

古書と、実験室の薬品の匂いがする。まぎれもなく彼の香りだった。りんごの蜜《みつ》よりも薔薇《ばら》の花よりも、レナーテを安心させる香り。

「レナ、もう大丈夫です」

見た目よりも遥《はる》かにたくましい腕に抱かれ、レナーテは泣きながら頷いた。

訪れた静寂《せいじゃく》の中、口を切ったのはアルフォンスだった。

「……メルヒオール。お前の妻がここにいることは、私の腹心のほかには誰も知らないはずだったのだが」

「ところが、兄上は精霊に見られていました」

「精霊など、実在するわけが……」

「いるんです」

メルヒオールは最後まで言わせなかった。

「日なたを歩む兄上には、闇に息づく存在の姿などお見えにならないのでしょう。ですが僕はやはり忌み子だったんです。精霊の姿も声も、はっきりと認識できます。彼らが僕に愛しい妻の危機を知らせてくれました」

複数形……。レナーテはぼんやりと兄弟のやりとりに耳を傾けながら、考えていた。メルヒオールに自分の居場所を教えてくれたのはクラウディアだけではなかったのだろうか。視線を感じてふと顔を上げると、メルヒオールの肩から告げ口妖精が顔を覗《のぞ》かせており、レナーテと目が合うとまた引っ込んでいった。

「兄上。もしも兄上がレナの肉体か精神の、いずれかひとつでも壊していたら僕はきっと自我

を失って、とんでもない大罪を犯していたことでしょう」

「私を殺すという意味か」

アルフォンスは軽い口調で訊き返した。

「どうやって？　王太子である私に剣を向けるのか。それとも毒でも盛るつもりか」

メルヒオールはゆっくりと首を横に振った。

「そんなつまらないことはしません」

「それはそうだろうな。いくらお前とはいえ、王太子である私を弑《しい》せば、ただでは済むまい。さすがにそれくらいはわかって――」

「違います。魔女狩りという忌々《いまいま》しい風習が僅《わず》かとはいえいまだに残っている、この国ごと亡くしてしまおうというんです」

ひらきかけたレナーテの口を、メルヒオールがさりげなく塞《ふさ》いだ。黙って聞いていてほしいということだろう。

「随分《ずいぶん》と大それたことを考える」

表情を見ずとも、アルフォンスが笑っていることはわかった。彼は本気にしていないのだ。

しかしメルヒオールはあくまでも真顔で兄に告げた。

「兄上は僕が昂奮《こうふん》してこんなことを口走っているとでもお思いですか。しかし兄上、僕は至って冷静なんです。僕は動植物の進化について研究する過程で、少しばかり免疫学《めんえきがく》を齧《かじ》りました。

その際に書き散らした論文が医学博士の目にとまり、現在、僕は抗生物質の研究と開発を任《まか》されているんです」

「何の病気に対する抗生物質だ」

その問いに、メルヒオールはやはり表情を変えずに答えた。

「黒死病《ペスト》」

レナーテはもう口を塞がれてはいなかったが、あるひとつの予感が過《よぎ》り、咽喉《のど》を凍らせた。

黒死病――恐ろしい響きのその病名を知らない者は、シュトロイゼル王国にはいないだろう。それだけ有名なのだ。四百年ほど前にこの国で大流行した際、国民の三割以上が命を落としたという記録がある。致死率と感染率が非常に高く、いまだに特効薬が存在しない伝染病。メルヒオールは無意識にというよりは、習慣化した行為のようにレナーテの髪を撫でながら、光のない目でその先を続けた。

「僕のこれまでの科学者としての実績、能力、医療への貢献度《こうけんど》、そして『人々の命を救う研究目的』という正当な理由……これらによって、僕は黒死病菌を保有する権限を大学から与えられました。守秘義務があるので保管場所は兄上にもお教えできませんが、ちゃんと鍵をかけて、厳重に保管していますよ。……その黒死病菌を培養《ばいよう》し、大量の鼠《ねずみ》に罹患《りかん》させて一気に王宮や町に放してみたらどうなるでしょうか。ひと月で王都には死体の山が積み上がり、一年後にはきっとシュトロイゼル王国そのものが滅んでしまうでしょうね。三年後には、この地球から人類そのものがいなくなるかもしれない」

絶対にあってはならない話にレナーテは絶句したが、アルフォンスの反応は真逆《まぎやく》だった。

ふっと一笑《いっしょう》に付《ふ》し、勝ち誇ったように告げた。

「そうなったらお前も死ぬじゃないか！　お前は天才なのか？　馬鹿なのか？　それともとうとうおかしくなったか！」

「僕はとっくにおかしくなっています」

メルヒオールは言った。

「十二年前、父に殺されかけたあのときに。僕の精神の均衡《きんこう》は今、レナの存在によってかろうじて保たれている状態なんです」

髪に触れていた手はそのまま背中へとずらされて、レナーテは強く抱きしめられた。

「ですから兄上、お願いです、どうか僕からレナを奪わないでください。レナは死後、神に望まれるまま天に召されるでしょうが、殺戮《さつりく》の罪を犯した僕は、彼女と同じ場所には行けない。でも……レナは優しいから、きっと僕と一緒に地獄に落ちてくれるでしょうね。……ねえレナ？　君は何があっても僕をひとりにしませんよね。僕が人殺しになってしまっても、絶対に、逃げたりしませんよね」

背にまわされていた腕の力が緩んだ。かと思えば、音を立てて頬に口づけられる。口づけはカムフラージュだったのかもしれない。彼の顔が離れる直前、レナーテは耳元で、「僕に話を合わせてください」と小声で囁かれた。

彼の発言の内容が途中から明らかにおかしくなっていたのでレナーテは薄々と察していたが、やはり演技だったようだ。

レナーテは自分の演技力にはまったく自信がなかった。だから緊張のあまり、

「に、逃げない……。メルの、傍《そば》にいる」

発した声は硬く、震えてしまった。しかしアルフォンスはレナーテの夫に対する態度を見て、なにか誤解したようだった。

「メルヒオール、お前は恐怖で妻を支配しているのか？　ああ、やはり。お前には感情が欠落しているのだな。……愛を知らない人間ほど不気味なものはない。他人に対してどこまでも非情に、そして残酷になれるからだ」

メルヒオールが黙っていると、アルフォンスは疲れたように、小さく頭《かぶり》を振った。

「……お前は常軌《じょうき》を逸《いっ》している。だが、それでもやはり王の資質はお前の方にこそある。お前が……お前が王太子なら良かったんだ」

「それでは、兄上」

その言葉を待っていたかのように、メルヒオールが言った。陰気な気配は去り、すでにいつもの淡白な彼に戻っている。

「いっそのこと入れ替わってしまいましょうか。僕のほうも兄上に妬《ねた》まれながら生きるのは正

直とても苦痛ですし、面倒です」

「入れ替わるだと？」

メルヒオールは、平然とした顔で頷いた。

「同じ顔、同じ声をした僕が兄上に成りすますことは決して難しくないと思いますよ。現に今夜だって僕は兄上に成りすまし、堂々と城の正門からここまでやってきたのですから。誰も僕を弟王子だとは見抜けませんでした。……いや、気づいていて気づかぬふりをしたのか」

沈黙したアルフォンスに、メルヒオールは表面上は穏やかな声で言った。

「兄上、王太子位の荷が重いのでしたら、僕が代わりに背負って差し上げても構いませんよ。僕が王太子となり、兄上がカレンデュラの城の主《あるじ》となる。僕たちならきっとうまくやれます。ふたごなのですから」

レナーテは急に心細くなって夫を見つめた。すると、なだめるように頭に口づけられた。

「城は明け渡しても君は誰にも渡しません。君は未来永劫《えいごう》に僕だけのものなのですから」

『怖っ』とクラウディアが言ったが、アルフォンスにはその声は聞こえなかったらしい。

「本気で言っているのか」

「僕は冗談が大嫌いなんです」

冷え冷えとした部屋に静寂が下りる。

アルフォンスのほうが先にメルヒオールから視線を逸らした。

「……断る。あまりにも非現実的なことだ」

「ほら、結局そうなる」

メルヒオールは嘲笑《あざわら》うように言った。

「兄上は僕の才覚や自由を羨《うらや》みながらも、僕にはないもの——たとえば父王や母上から無条件に注がれる愛や、輝かしい玉座が約束された未来を手放す勇気はなかったんです。兄上を最も不幸にしたのは父でも僕でもなく、変化を恐れるその心の弱さだったのでは？」

「……っ」

「王太子位を放棄《ほうき》したくなられましたら、いつでも代わってさしあげますので、ご連絡くださ い。……それでは、僕たちはこれで」

メルヒオールは足元の怪《あや》しいレナーテを軽々と抱き上げてしまうと、兄を残し、血の匂いのしみついた拷問部屋をあとにした。

Ⅷ

翌日の夕刻、レナーテはカレンデュラの森の城の夫婦の寝室にいた。麻酔はすっかり抜け、体調はすでに万全だった。けれどメルヒオールには大事をとるよう強く説得され、おとなしく寝台の上で鉱物事典を広げていた。

メルヒオールは明日になったらまたいったん王立大学に戻るそうだが、今日はずっとここで、レナーテについていてくれるらしい。

窓辺に立っていたメルヒオールが、ふいに独《ひと》り言《ごと》のように呟《つぶや》いた。

「空の色は時間とともに変化しますが、僕はこの時間帯の空の色が一番好きです。レナの髪と同じ色ですからね」

「……？　空は水色でしょう」

レナーテは書物から目を上げずに言った。

「君には、この空が水色に見えるのですか」

レナーテは窓を見た。すると空は夕焼けで、一面、薄紅《うすべに》色に染まっていた。沈む間際《まぎわ》の日の光を反射して、雲は紅《くれない》や黄金に輝いている。

レナーテは目を見ひらいた。すると枕元にいたクラウディアが、レナーテをつついた。

『ほらね、ガッチガチの石頭！　僕が言った通りだっただろう。賭けは僕の勝ちだね』

「賭け？　僕の知らないあいだに、君たちはなにを賭けたのですか？」

外を見ていたメルヒオールが、興味を引かれたようにこちらを振り返った。顔は微笑《ほほえ》んでいるのだが、逆光のせいで何か凄味《すごみ》がある。

『それがさ、レナーテのやつ……』

「だめ、わたしの混乱がおさまるまで待って」

レナーテは慌《あわ》てて白猫の口を押さえた。

「おかしな人ですね。空の色が時間によって変わることなど幼い子供でも知っているというのに、君はなにを混乱しているのです」

「あ、あの。待ってほしいの。わたし、頭を少し整理しないと」

告げ口妖精は、言っていた。

『メルヒオールは～、実は～、七年も前から～、そしていまもなお～、空色の髪、サファイアの目をした娘を愛し続けてま～す！』と。

レナーテは見る間に青くなった。

まさか。まさか自分は、今まで、とんでもない誤解をしていたのではないだろうか――。

「……レナ？　具合でも悪いのですか」

メルヒオールがこちらに近寄ってきて、寝台の縁《へり》に腰かけた。熱を測るように額《ひたい》に手をあてられて、レナーテは思わず瞳《ひとみ》を伏せた。

（……こうなったら、率直に訊《き》いてしまったほうが良いのかしら。「メル、あなたは本当はアンネマリーが好きなのではないの」と……）

クラウディアはレナーテの手をすり抜けると、あくびまじりに言った。

『レナーテ、僕の口を封じたって無駄だよ。この城にはもっとお喋《しゃべ》りなやつがいるんだからさ。あ、ほらほら、来た』

レナーテがクラウディアの視線の先を追うと、メルヒオールの頭の上に、いつのまにか黒うさぎが載《の》っていた。

『告げ口しちゃお、告げ口しちゃお。メルヒオールは〜、実は〜、七年も前から〜、そしていまもなお〜、空色の髪、サファイアの目をした娘を愛し続けてま〜す！』

蒼白《そうはく》になったレナーテとは裏腹に、メルヒオールは別に動じた様子もなく、頭の上から黒うさぎをパッパッと払い落としている。

「うるさいですね。そんなこと周知の事実でしょう。黙りなさい」

（周知の事実）

ということはヘンゼルとグレーテルも、彼の本命がアンネマリーであるという事実を実は知っていたのだろうか。知っていて、「愛ですわ！」などと言って自分を良い気持ちにさせようとしてくれていたならば、切なすぎる。

「レナ。いったいどうしたんです。この世の終わりのような顔をして」

「メル……」

あなたは本当は、と切り出そうとしたとき、レナーテは急に自分の頭の上にかすかな重みを感じた。メルヒオールに追い払われた告げ口妖精が、今度はこちらに移動してきたのだ。

『ってこないだレナーテに言ったら〜』

まさか先程の告げ口に続きがあるとは予想もしていなかったレナーテは、条件反射のように頭の上に載った黒うさぎをつかまえようとした。しかしそれよりも早くメルヒオールの手が伸びてきて、黒うさぎを横どりされた。

「レナに言ったら？」

「メル、だめ！」

　レナーテは今度はメルヒオールの口を塞いだが、口を塞ぐ相手を完全に間違えていた。

『レナーテは～、メルヒオールが実は自分ではなく～、水色の髪に青い目をした異母妹《いもうと》のアンネマリーに恋をしてると勝手に勘違《かんちが》いして～、新婚ほやほやにもかかわらず～、旦那《だんな》の浮気を疑ってました～！』

　告げ口妖精は全部彼に告げ口してしまったばかりではなく、なんと『石頭のレナーテ！　うぷぷ～っ』と捨て台詞《ぜりふ》まで吐いて、パチン！　という音とともに消えてしまった。

『……あーあ、やられちゃったね、レナーテ』

　凍りついたレナーテの傍《かたわ》らで、クラウディアはのんびりと伸びをした。

「クラウディア……」

　レナーテはすがるような目でクラウディアを見つめたが、彼は薄情だった。

『せいぜいたっぷりお仕置きされちゃえばいいんじゃない。じゃあね。お邪魔猫は退散』

　レナーテが引きとめる間もなく、クラウディアは霧《きり》のように消えてしまった。

「レナ」

いつのまにか寝台の上で向かいあっていたメルヒオールにぽんと肩を叩《たた》かれて、レナーテはびくりとした。メルヒオールは非難がましい顔をしているわけでもなく、あくまでも穏やかなまなざしでレナーテを見つめている。

「その様子では、君はこの鉱物の正体を突きとめることができなかったようですね」

彼は、レナーテの襟《えり》のリボンの下で光る日だまり色の宝石をそっと掬《すく》いとった。

「今の会話の中で正解は出てしまいましたが、一応訊いてみましょうか。このネックレスについた石の名はなんですか」

話の流れからいうと、正解はサファイアなのだろう。だがレナーテは黄色いサファイアなど知らない。研究者がいい加減な回答をするわけにはいかないので、膝《ひざ》の上に置いていた鉱物事典をめくろうとしたら、その手をそっとメルヒオールに押しとどめられた。

「試験ですから書物をひらいてはいけません。君の思った通りのことを口にしてみなさい」

レナーテはためらった末に、小声で言った。

「日長石《サン・ストーン》。石言葉は、『輝き』」

「だから、なぜそうなるんですか！」

彼にしては珍しく声を荒らげてから、メルヒオールは気をとりなおすように咳払《せきばら》いした。

「……君に欠けているものが石言葉になっている鉱物だと、ヒントまで差し上げたのに」

「あの、だから『輝き』……」

「違う。君は輝いています。その鉱物の正体はサファイアですよ。サファイアは不純物によって黄色にも桃色にもなるんです。そしてイエローサファイアの石言葉は『自信』」

メルヒオールはレナーテの手から鉱物事典を取り上げると、サファイアの項目のページをひらいて返してきた。すると確かに、イエローサファイアなるものがこの世に存在することが判明した。

「……わたし、悲しくなるから、サファイアの項目は見ないようにしていたの」

「それは間違えた言い訳にはなりませんね」

「……はい」

愛する夫にというよりは憧《あこが》れの博物学者に叱《しか》られて、レナーテは恥じ入るように俯《うつむ》いた。

「約束通り、君には罰を受けてもらいます」

メルヒオールの両手が肩に添えられて、レナーテはゆっくりと寝台に押し倒された。

「メル」

「なんですか」

「学者が出来の悪い弟子にする罰は、手の甲を小さな鞭《むち》で打《ぶ》つのが、このごろは一般的なのでは……」

「そうですね。でも、君は僕の妻ですから」

配偶者には配偶者専用の罰があるらしい。

メルヒオールが自分の両側に手をつき、顔を近づけてくる。唇《くちびる》が触れ合う寸前で、レナーテは急に思い出して言った。

「待って」

「……なんですか」

「メル、黒死病《ペスト》の菌を本当に持っているの？　あの、それならそれで別に構わないのだけれど、わたし、初耳だったから驚いて……」

「いえ、実は持っていません。あれは方便と申しますか……単なる脅《おど》しです。抗生物質の研究に関《かか》わっているのは事実ですけれどね」

レナーテは少し安堵《あんど》した。昨夜、伝染病を蔓延《まんえん》させる計画を兄に語った彼の演技が真に迫り過ぎていて、少しだけ怖かったのだ。

「質問は以上ですか」

彼は多忙な人だ。ひょっとすると早く罰を済ませてしまいたいのかもしれない。焦《じ》れたように訊かれ、レナーテは慌てて言った。

「あのね、もうひとつあるの。あの……空色の髪にサファイアの目をした人間がわたしであることは理解したわ。あ、あなたの気持ちを疑ってしまって本当にごめんなさい。でも、『七年前』というのはなんのこと……？」

レナーテが訊くと、彼は小さく嘆息《たんそく》した。

「君は忘れてしまっているようですが、僕たちは七年前に一度会っているんです」

「え……!?」

「少しも憶えていませんか。カレンデュラの森を抜けた先にあるクローバー畑で、馬鹿みたいに泣いていた、無愛想な黒髪の子供を」

レナーテは懸命《けんめい》に記憶の糸を手繰《たぐ》り寄せる。思い出すのに時間はかからなかった。村ではめずらしく民族衣装を着ていない子供だったから、印象に残っていたのだ。

「そういえばわたし、子供の頃に、泣いている男の子の頭に花冠《はなかんむり》をかぶせてあげたことがあるの。まさか……あのときの子が、メル?」

「そうです。思い出してくれたんですね」

メルヒオールは明るい緑の瞳を細めた。

「……当時の僕は、父や兄が憎かった。父に逆らえず、いつも父に従っているだけだった母のことも。ですが僕は誰よりも、他人を憎むことしかできない自分自身を憎んでいました」

ですが、と、彼は続けた。

「突然現れた見知らぬ少女が――君が、僕の頭に花冠を載せてくれたとき。僕の中から、王位への執着《しゅうちゃく》も、家族への憎しみも、すべて溶けて消えたんです。この世にあんな純粋な優しさがあることを、僕は知らなかった。君と出会い、そしてそれを知った瞬間、僕の世界は鮮やかに色を取り戻したんです」

レナーテの瞳に、透明な水の膜《まく》が張る。

「……そのときから、わたしを好きでいてくれたの？」

「そう。ずっと」

愛《いと》おしげに前髪を撫でられて、レナーテの胸は小さく震えた。

「だからこそ、僕は君を手に入れるのに慎重になった。本当は手紙のやりとりによって、ゆっくりと君の気を引き、君が僕に心酔《しんすい》するのを待ってから求婚するつもりでいたんです。しかし不測の事態によって、なかば攫《さら》う形で君をこの城に連れてきてしまった。ですから僕は、今までとても不安だったんですよ」

「……不安？　どうして？」

「あまりにも強引なやり方をしたので、君に嫌われてしまったのではないかと」

「そんな……逆だわ」

レナーテは言った。

「わたしはここに来てから、それまで憧れの博物学者でしかなかったあなたに、あの……はじめて……恋をしてしまったから……」

「そう、君は完全に僕の手に落ちた。七年に亘《わた》り罠《わな》を張り続けてきた甲斐《かい》がありました」

「……罠？」

やや不穏な言葉に、レナーテはまばたきをした。メルヒオールは相変わらず笑っている。

「この際ですから、僕はもう洗いざらい君に告白してしまうことにします」

「……」

「七年前、僕は君に出会ったその晩のうちに君の素性《すじよう》を徹底的に調べあげました。すると君は博物学者の祖父君を師と仰《あお》ぎ、自身も博物学者を夢見ているという。僕は考えました。『あの子はきっと博物学者になるだろう。それなら僕も博物学者を志《こころざ》そう。……同業者ならば、いつか偶然を装《よそお》って、どこかで出会えるはずだ』……とね」

レナーテは口をひらいたが、あまりの驚きに言葉が出てこなかった。いまや博物学の権威ともいえる人が博物学者を志した動機が、まさか、そんな……不純だったなんて。

レナーテは複雑だったが、洗いざらい告白した彼のほうは、すっきりした顔をしていた。

「さて、そろそろ罰の続きをします」

そう予告されるなり、レナーテは頰に口づけをされた。罰というからには嚙《か》みつかれるのだろうかと身を硬くしたが、痛みは訪れなかった。ただ頰に、額に、髪に、唇で優しく触れられていくだけだ。ただ、少し……。

レナーテは耐えていたが、ついに堪《こら》えきれなくなって、くすくすと笑いだしてしまった。

「メル、やめて、……くすぐったい」

レナーテがひとしきり笑い終えるのを待ってから、彼はわざとらしく眉《まゆ》を寄せた。

「……くすぐったいのでは罰になりませんね。それでは、もっと痛くしてみましょうか」

「そ、それは、厭《いや》」

レナーテはすかさず言った。けれど彼はレナーテに微笑みを返しただけで、再び顔を伏せて、柔肌《やわはだ》に触れてきた。レナーテは、こめかみから耳へと彼の唇が滑りおりてゆく感触にうち震えた。耳たぶに軽く歯を立てられたとき、レナーテの身体《からだ》はびくんと跳《は》ねた。痛みとは違う疼《うず》きが走り、レナーテは思わず夫の背中にしがみついていた。

「どうしました？」

意地悪く微笑みかけられて、レナーテは我に返る。レナーテは頬に熱が集まるのを感じながら、さりげなく彼の背から手を離した。

「……なんでも、ない」

「では、続けても？」

レナーテが頷《うなず》くと、今度は唇に唇で触れられた。結婚式のときと同じ、かすめるような口づけだった。だから唇が離れたとき、レナーテは困惑《こんわく》を隠せずに訊いた。

「あの……これのどこが罰なの？」

「どういう意味でしょうか」

「だってわたし、あなたから罰を受けているのに、……とても幸せなの」

はしたないと思われるかもしれない。そんな不安はあったが、レナーテは正直に口にした。隠していても、どうせ鋭い彼には見破られてしまうと思ったからだ。

「そんなことを言って……」

　メルヒオールはレナーテの頬を撫でた。

「後悔しても知りませんよ」

　それは忠告でもあったのだろう。笑みの消えた真剣な彼のまなざしがそれを物語っている。けれどレナーテは、結婚式の夜から変わった。もうなにも恐れることはなかった。

「後悔なんて、しないわ。だから……」

　レナーテはその先を続けることを躊躇《ちゅうちょ》したが、再び唇をかさねられたとき、彼が正確に自分の意を汲《く》みとってくれたのだと悟った。

　それまでのたわむれのような口づけとはうってかわり、唇を割られ、深く侵入される。舌を甘く食《は》まれ、呼吸を奪われる。……未知の感覚にレナーテはやはり戸惑ったが、混乱が過ぎ去ると、甘い痺《しび》れにも似た感覚がさざ波のように広がって、全身を支配した。寝台に投げだしていたレナーテの右手に、結婚指輪が嵌《は》まった彼の左手が絡《から》みつき、そのまま縫いとめられる。彼が自分の利《き》き手の動きを封じてきたのは偶然だろうか、それともまた計算なのだろうか……考える暇《ひま》も与えられず、レナーテは耳元で、熱を帯びた声で囁かれた。

「……レナ。君を愛しています」

　彼の長い指がレナーテの頬から首すじへと伝い下りてゆき、やがて胸元のリボンへと至る。レナーテはぴくりと反応したが、瞼《まぶた》に口づけを落とされると、従順に瞳を閉じた。

彼の気配が濃密になる。彼の鼓動、かすかな吐息《といき》、衣《きぬ》ずれの音……そのすべてが甘やかにレナーテの耳をくすぐった。

やがてかさなるふたつの影を隠すように、優しい夜のとばりが、ゆっくりと下りていった。

魔女が死なない童話《メルヒェン》
番外編

I

降誕祭を過ぎると、カレンデュラの森の冬の冷え込みはいっそう厳しさを増した。

楓《かえで》の木々は緋《ひ》色に染まった葉をすっかり散らし、降るのはただ白銀の雪ばかりである。

(やれやれ。まったく厭《いや》になっちゃうよ)

白猫の姿をした精霊クラウディアは、真っ白になった庭園を温室の硝子《ガラス》越しに眺めつつ、ため息をついた。

精霊とはいえ、クラウディアには猫の性質がそのまま備わっている。

性格が気まぐれかどうかは知らないが、猫舌で、熱いスープは飲めないし、寒がりだ。

だから毎日のように冷たい雪に降り籠《こ》められる冬は大嫌いだった。

こんな日は温室に引きこもっているしかない。

硝子張りの温室には色も種類も様々な薔薇《ばら》が咲き誇り、常に甘い香りが満ちている。

シュトロイゼル王国の第二王子にしてこのカレンデュラの森の城のあるじ、メルヒオールがひとつ年下の少女レナーテを妻に迎えてからというもの、温室は様変わりした。

それまでは薄気味悪い食虫植物がまばらに生えるばかりで墓場のように陰気だったのが、レナーテが出入りするようになってから、楽園のようになった。

クリームとパイを交互に重ねた菓子のように、多重の花片《はなびら》の薔薇もあれば、リボンの勲章《ロゼット》のように花弁が繊細な螺旋《らせん》を描《えが》く薔薇もある。

色はそれこそ多様で、真紅《しんく》、雪白《ゆきしろ》、橙々《だいだい》、銀朱《ぎんしゅ》、桜貝《さくらがい》、檸檬《れもん》、藤《ふじ》色……など、挙げていてはきりがない。冬の光を通す硝子の壁は一面清らかな薔薇に彩られ、王都の大聖堂のステンドグラスにも劣らぬ美しさだった。

優しい薔薇の芳香に包まれていると、眠たくなってくる。ひとつあくびをしたそのとき、クラウディアは硝子の向こうに、不審な影があるのを認めた。

告げ口に生きがいを見出《みいだ》している精霊、黒うさぎだ。

温室から五十歩ほど離れた場所にある、赤煉瓦《あかれんが》造りの研究塔の一階の窓に貼りついている。ときおりきょろきょろと頭を動かして人が来ないかどうかを確かめているようなので、見とがめられるようなこと――覗《のぞ》き見か聞き耳を立てているのは明らかだった。

(ばっかじゃないの、あいつ)

真っ白な雪の中で黒うさぎの姿は目立ち過ぎるだろうに。

それをわざわざ親切に教えてやる義理はクラウディアにはなかったが、黒うさぎがいったい何にそんなに熱心になっているのか、少し興味が湧いた。

雪に閉じ込められて温室でだらだらと過ごすばかりの日々にはそろそろ飽《あ》いていたのである。クラウディアは猫らしく、足音を立てずに温室を抜け出した。

『おい、黒うさぎ。あんたの姿、温室から丸見えだったぞ』

窓枠によじのぼっていた黒うさぎにクラウディアが下から声をかけると、黒うさぎはぴょんと雪の積もった地面に降り立ち、クラウディアの口を塞《ふさ》いだ。

『しーっ！　せっかく面白いことになってるんだから、邪魔するなよ！』

『面白いこと？』

黒うさぎの手をそっけなく払ってクラウディアが訊《き》いたとき、窓の向こうから話し声が聞こえてきた。精霊は人間よりも聴覚が鋭い。窓一枚の隔《へだ》たりなど、彼らにとってはあってないようなものだった。

「君も強情な人ですね」

低く呟《つぶや》かれたその声の主《ぬし》はメルヒオールだ。

「染髪粉《せんぱつこ》には発癌性《はつがんせい》物質が含まれていると何度言ったらわかるんですか」

「ずっと染め続けると言っているわけじゃないわ」

珠《たま》を触れあわせたように澄んだ音で、控えめに反論したのはレナーテである。

「一度でも駄目です。だいたい、一度で済むだろうという君の考えが甘すぎるんです」

クラウディアはなるほど、と状況を理解した。

『夫婦喧嘩《げんか》か。めずらしいこともあるもんだ』

メルヒオールとレナーテが成婚してから二週間あまり。

妻を暗く静かに溺愛《できあい》する夫、そして夫に従順でおとなしい妻がこのように言い争う場面を見たのは、クラウディアも初めてならば、黒うさぎのほうもそのようだった。

いつの間にかまた窓によじ登り、窓に貼りついて室内の様子をうかがっている。外にプランターが置けるように、塔の窓辺は煉瓦が突出した造りになっている。小さな黒うさぎが座るには余裕の広さだった。

『血の雨が降るぞ～ひひひ』

『そもそも喧嘩の原因はなんなのさ』

クラウディアが黒うさぎの横に飛び乗って訊くと、黒うさぎはにやにやと笑った。

『昨日招待状が届いて、メルヒオールとレナーテがいきなり十日後の宮廷晩餐会《ばんさんかい》に招かれたのは知ってるだろ？』

クラウディアは頷《うなず》いた。

『ああ。その席で初めてレナーテが王子妃として国王と王妃、それから前にレナーテを誘拐《ゆうかい》した王太子の前にお披露目《ひろめ》されるんだってね。レナーテのやつ、なんか深刻そうな顔してたけど、また髪と目の色のことを気にしだしたのかな』

『そうそう。そんで今朝さっそくひとりで町に繰り出してさ、髪を染める黒い粉末をこそこそと買って帰ってきたんだ。メルヒオールは知らなかったみたいだけど、おればばっちり見ちゃったもんね〜』

『ふーん。それで?』

『この部屋で資料を読んでたメルヒオールにさっそく告げ口しちゃった〜! それが十分ぐらい前のこと。メルヒオールはすぐさまレナーテをこの部屋に呼び出して〜、いま尋問中《じんもんちゆう》〜!』

『あんた、ほんと火種をばらまくの好きだよな』

『うさぎの口に戸は立てられませ〜ん!』

クラウディアは自分が人間だったらここで肩をすくめていただろうと思いつつ、少し開いたカーテンの隙間《すきま》から室内の様子を見た。

研究塔には鉱物学、動物学など、分野ごとにいくつかの研究室が設《もう》けられているが、ここはメルヒオールが最近よく入り浸《いびた》っている植物学の研究室だった。

彼の書斎や他の研究室もそうであるように、書物がびっしりと詰まった書棚が壁面を埋め尽くしている。書棚に収まりきらなかった本は、古びた机や、白と黒の市松《いちまつ》模様の床にうず高く積まれ、ほとんど足の踏み場もなかった。天井《てんじよう》に渡された紐《ひも》からは乾いた薬草の束が吊るされており、暖炉の火に赤く照らされながら、不気味に揺らめいていた。

紺地に金の刺繍《ししゆう》の上衣を纏《まと》ったメルヒオールはここからでは横顔しか見えないが、蒼白《あおじろ》い顔、無機質で光に乏《とぼ》しいエメラルドの目は普段通りである。

その正面にはレナーテの姿があった。

　フリルがふんだんにあしらわれたスタンドカラーの黒のブラウスに、胸と腰の曲線に沿った華麗な紅葡萄酒《ぶどうしゅ》色のビスチェドレスをかさねているが、その表情は浮かず、居心地悪そうにたたずんでいる。

　夫婦の間には緊迫した空気が漂っていた。

「黒髪にしてもブロンドにしても。そして碧眼《へきがん》であれ緑の目であれ――」

　メルヒオールは白い手袋を嵌《は》めた手をレナーテの顔に伸ばすと、頬《ほお》にかかった薄紅《うすべに》の髪をひと房《ふさ》とった。

「君がこの晩餐会で髪や目の色を偽《いつわ》り、国王その他を欺《あざむ》けば、君は今後、王宮に出向くたびに染髪し、目に色硝子を嵌めなければならなくなるんですよ」

　つまり……、と、メルヒオールはレナーテの髪を弄《もてあそ》びながら、ゆっくりと告げた。

「君は、永遠の嘘《うそ》つきになる」

　どこか挑発的なその言葉に、レナーテは顔を上げた。

　長い睫《まつげ》毛に縁《ふち》どられた大きな瞳で夫を睨《にら》みつけ、水紅《とき》色の唇《くちびる》を震わせる。

「わたしだって、本当は、あなたのご両親に、嘘なんかつきたくない」

　口調こそきっぱりとしていたが、黄金の瞳は見る間に濡《ぬ》れていった。

　途端。

「レナ」

メルヒオールがわかりやすくうろたえた様子を見せた。

レナーテの肩に触れようとしたが、拒絶されることを恐れたのだろう。

結局触れることなく、力なく手をおろした。

『あーあ。新妻《にいづま》を泣かせるなんて王子も悪い男だね』

『メルヒオールがレナーテをいじめた～！　ヘンゼルとグレーテルに告げ口しちゃお！』

クラウディアと黒うさぎはそれぞれに勝手な感想を述べつつ、覗き見を続けた。

レナーテが涙したことはメルヒオールにとって完全に想定外の出来事だったのだろう。

しばらくのあいだ蒼白《そうはく》な顔で固まっていたが、やがて思い切ったように、ぎゅっと妻の身体《からだ》を抱きしめた。

「泣かないでください。君に泣かれると、ひどく胸が苦しくなるんです。……きつい言い方をしてしまったことは謝ります。でも、僕は本当に君の身体のために反対しているんです」

抵抗もなくすっぽりと彼の腕におさまったレナーテだったが、メルヒオールがきまり悪そうに言い終えると、なにを思ったか、彼の胸を軽く押し返した。

「そう、それなら同じね。わたしもあなたのことを想《おも》って言っているんだもの。わたしはあなたに恥をかかせたくないの。そのためなら、あなたに嘘つきだと軽蔑《けいべつ》されてもいい。染《せん》……」

「僕が君を軽蔑することなど未来永劫《えいごう》にありません。僕は君を崇拝《すうはい》さえしているのですから」

途中で素早く訂正を入れてから、メルヒオールは「失礼。どうぞ続けてください」と、先をうながした。

「染髪によって発癌のリスクが高まることはまだ立証されていないけれど、あなたが紅《あか》い髪の女を妃《きさき》として公表すれば、あなたまでそしりを受けることはわかりきっているじゃない」

「そしりを受けたとして、それの何が問題なのですか。僕は博物学者ですよ。そんなことで僕を貶《おとし》めるような人間とはいずれにしても親しく付き合うつもりはありません。王族であろうと貴族であろうと、迷信に惑《まど》わされる愚かな人間が僕は何よりも嫌いなんです」

「でも……」

「レナ、君の最愛の人は誰ですか」

メルヒオールが何の脈絡《みゃくらく》もなく、妻にそんな質問をぶつけた。

（いきなり何を言い出すんだ、こいつ）

クラウディアは薄気味悪いものでも見るように王子を見たが、レナーテの反応は違った。

乳白色の頬をかすかに紅潮《こうちょう》させながら、大真面目《おおまじめ》に回答している。

「……あ、あなたよ。メル……」

クラウディアはそのとき、メルヒオールが満足げにエメラルドの目を細めたのを見逃さなかった。常に人形のように淡々としている妻が、自分の言葉に恥じらう姿が気に入ったのかもしれない……。

しかし彼はレナーテが視線を上げると、すぐに真顔になって言った。

「それでは次の質問です。君が僕の立場だった場合、君は最愛の僕の命を削《けず》ってでもご自分の体面を保とうとなさいますか」

「だから、その命というのが大げさだと言っているの」

「大げさ?」

メルヒオールが眉《まゆ》を寄せた。

「……レナ、君はもう気がついているかもしれませんが、僕は一種の病気なんです。君を愛しすぎているあまり君を過剰《かじょう》に心配してしまう。わかってください」

「だったら、その病気をなんとか治して」

「治りません。ですから髪を染めたりしないでください。残念ながら、これはもうお願いではありません。王子としての命令です」

「命令?」

「そう。ですから君は従わなければならない。もしも君が命令に背《そむ》いて染髪を強行したら、僕にも考えがあります。罰として、君をこの城から――」

「……この城から?」

レナーテは表情を強張《こわば》らせた。

黒うさぎとクラウディアは顔を見合わせ、またこそこそと話し合った。

『「追い出す」ってか? さっそく離婚か? ひひひ、村中に言いふらしちゃおっと!』

『いや、追い出すだけならまだ普通でいいけど、あの王子のことだから、なんかもっと斜め上の発想をして陰気でねちっこいような罰を与えると思う』

クラウディアが私見を述べたところで、メルヒオールがレナーテの頬を両手で包み込んだ。そうして、唇が触れ合うほど彼女の近くに顔を寄せ、陰気な声で囁《ささや》いた。

「君を、この城から二度と出しません。僕たちの寝室に閉じ籠めて、君を完全に外界から隔絶します。そして毎日、昼となく夜となく、君が意識を失うまで大切に愛《め》でてさしあげます」

『『うわぁ……』』と、クラウディアと黒うさぎは口を揃《そろ》えた。

レナーテはメルヒオールの手を払いのけると、彼から一歩距離をとった。

精霊たちはさすがの彼女も夫の発言に引いたのかと思ったが、純真で聖女のように優しい彼女には、何かに対して『うわぁ……』となる、あの名状しがたい感覚はどうやら備わっていないようだった。

メルヒオールの目を見据《みす》え、まっすぐな怒りをぶつける。

「王族としての自覚がない王子様の命令に、効力なんかかない。メルのばか。もういい」

レナーテはパニエで膨《ふく》らませたドレスの裾《すそ》をふわりとひるがえし、夫に背を向けた。

「待ちなさい。どこへ行くんですか」

「言わない。メルなんか、せいぜい過剰に心配していればいいのよ」

レナーテは床に散乱する本を避けながら出口に移動すると、夫のほうはついぞ振り返らずに部屋を出ていってしまった。

「……レナ！」

メルヒオールが呼びとめる声もむなしく、彼の視線の先で扉が音を立てて閉まる。

窓に貼りつきながら、小動物の姿をした精霊たちはまた口々に感想を言いあう。

『王子の暗いねちねちした発言を「ばか」の一言で片づけるレナーテも大した玉だよな』

『ひっひっひっ。痴話《ちわ》ゲンカ、面白いことになってきたぞぉ〜。誰かに告げ口しちゃお』

メルヒオールはこちらに背を向けて茫然《ぼうぜん》と扉を見つめていたが、ふいに振り返ると、窓辺に向かって真っすぐに歩いてきた。逃げ足の速い黒うさぎは何も言わずにぱちん！　と消えた。

うっかり逃げる機会を逸《いっ》してしまったクラウディアは、窓をあけたメルヒオールにひょいと両手で抱きあげられた。

「クラウディア」

『げ……、あんた、気づいてたのかよ……』

「当然です。君、ただちにレナを尾行しなさい。立ち聞きした罰です」

『はぁ？　やだよ、寒いしめんどくさいし。レナーテの行動範囲なんか、どうせカレンデュラの森かミルヒ村ぐらいだよ。自分で追えば？』

「君は馬鹿ですか。レナは僕の愛が重すぎるがゆえに機嫌《きげん》を損ねたんですよ。つまりいま僕がレナを追うことは得策ではない。余計に嫌われます。……そこ《そこ》で君です。早く行きなさい」

クラウディアは妙なところに感心してしまった。

『愛が重すぎる』。この王子、意外と自分のことをよくわかっているようだ。

だがしみじみしている場合ではない。

命令を聞くのは面倒だったが、レナーテのことが心配だ。帰りが遅くなればなるほど、王子から罰だのお仕置きだのという名目で変な真似《まね》をされるに違いない。

クラウディアは、卵から孵《かえ》ったばかりの雛鳥《ひなどり》のように純粋にメルヒオールを慕《した》うレナーテが、危なっかしすぎて放っておけなかった。

『王子。あんた、レナーテが帰ってきても責めるなよ。とりあえずこの喧嘩はあんたが悪い』

釘《くぎ》を刺してから、クラウディアはレナーテの所在を感覚的に探った。


カレンデュラの森は粉砂糖をふった菓子のように真っ白になっていた。

サテンリボンで編み上げたブーツの踵《かかと》で雪を踏みしめながら、レナーテは通い慣れた森をとぼとぼと歩いていた。

勢い余ってメルヒオールの前から立ち去ってしまったが、研究室を出てから、わりあいすぐに冷静になった。けれどもう少し頭を冷やしたくて、外に出てきたのだ。

風邪《かぜ》でもひいてメルヒオールにうつしてしまっては大変なので、家出するにあたって、温かく手触りのよい黒の毛皮の外套《マント》を着込み、紅薔薇のコサージュを留《と》めた同色の帽子をかぶってきた。

湖のほとりにさしかかったとき、レナーテは足をとめた。冬いちごの群生を見つけたのだ。

（あ……。これだけあれば、リンツァートルテが焼けそう……）

リンツァートルテとは、胡桃《くるみ》やアーモンド、ヘーゼルナッツの粉をふんだんに混ぜた生地《きじ》に、野いちごのジャムをたっぷりとのせて焼きあげた重量感のあるケーキだ。

レナーテは菓子を焼くことが嫌いではなかった。計量は慎重におこなわなければならないが、生地を混ぜたり練ったりしているあいだは無心になり、それが気分転換になる。

どんな菓子にも目がない世話係、ヘンゼルとグレーテルのことを思い浮かべながら、赤く熟《う》れた冬いちごの実に手を伸ばす。

ふと見ると、凍った湖の表面が、自分の姿を鏡のように映しだしていた。

黒の外套に黒の帽子という装《よそお》いのせいで、薄紅の髪はいつもより際立《きわだ》って見えた。

そして猫の目のように瞳孔《どうこう》がくっきりと浮かび上がる、淡い黄金《きん》の瞳。

少し前までは魔女じみた自分の容姿が大嫌いだった。けれど、今はもう違った。美しいとは思わないが、メルヒオールに愛され、受け入れられたことで、少しだけこの外見を好きになれたのだ。

（でも、国王陛下《へいか》や王妃様は、わたしの姿に嫌悪感を示されるはず）

王太子アルフォンスはわからないが、すくなくとも自分を蔑《さげす》んではいるだろう。

（王太子殿下にはすでにわたしの姿を知られているし、メルの言う通り、髪や目の色を今さら偽り、取り繕《つくろ》うことは浅慮《せんりよ》だとは思うけれど……）

嘘も方便という。

自分さえ生まれ持った姿を捨ててしまえば、誰の心にもさざ波が立たないのだ。

自己犠牲のつもりはなかった。レナーテは誰にも似ていない薄紅の髪にも黄金の瞳にも頓着《ちやく》《とん》していなかったし、根拠や先例もなく染髪粉に発癌性物質があると言われただけで、素直に納得できるほど単純でもなかったのだ。

けれどメルヒオールはレナーテが髪を染めることをよしとしない。

博物学者として、領主として、この辺境の地で多忙にしている彼は、普段は自分が王子であることを忘れているのではないかと思うほど権威の話をしないのに、わざわざ王子という身分を笠《かさ》に着てレナーテに命令してきたほどである。逆らえば城に監禁するなどという脅し文句まで添えて。

（あの陰湿な脅しはさすがに冗談だろうけれど……メルもわたしも譲らない。このままでは、永久に平行線だわ）

どちらかが折れるまで、この喧嘩は終わらない。

（メルと険悪なままなんて耐えられない）

強情な自分に彼がいつしか愛想を尽かし、髪を撫でてくれなくなったら……それどころか、声すらかけてくれなくなったら、いったいどうしたらよいのだろう。

レナーテはもともと根暗なのもあいまって、悪い想像はどんどん膨らんでいった。

雪と冬いちごに囲まれながらレナーテがうずくまっていると、

『じきに雪が降るよ』

背後から聞き慣れた少年の声がした。

のろのろと振り返ると、真後ろに、いつのまにかクラウディアがいた。

雪に紛《まぎ》れてしまいそうな真っ白な毛並みに、ぱっちりとしたアイスブルーの瞳を持つ猫の姿をした精霊だ。

『そんな泣きそうな顔してるくらいなら、意地張ってないでさっさと城に戻ったら？』

「……どうしてここにいるの？」

『王子にあんたを連れ戻すように言われて来たんだよ。寒くってしょうがないから、僕としてはさっさと命令を遂行《すいこう》してお役御免したいんだけど』

「ごめんなさい」

レナーテはクラウディアを抱き上げると、そっと外套に包み込むようにして抱いた。

「メルはわたしに呆《あき》れていなかった？　感情的になってお城を飛び出してしまったから」

『大丈夫だよ、王子はあんたに異常に執着《しゅうちゃく》……じゃなくてストーカー……でもなくて溺愛してるんだから。王子があんたに呆れることは絶対にないよ。僕はむしろあんたが王子にドン引きしないことに驚きだけど、まあいいか。人の趣味嗜好《しこう》は人それぞれだからね』

レナーテはクラウディアを抱きしめたまま立ち上がると、もと来た道を歩きだした。

気持ちの整理がついたわけではなかったが、ずっと森で考え込んでいてもしかたがない。

「メルは時々おかしなことを言うけれど、とても尊敬できる人よ」

『レナーテ、この際だから忠告しとくよ。もしもあんたが王子の変質的な発言を単なる脅しかなんかだと思っていつも聞き流してるんなら、それはとても危険なことだ。愛を知らないまま大人になってしまった男の初恋ほど一途《いちず》で歪《いびつ》で恐ろしいものはないんだぞ』

力説してくるクラウディアをレナーテはまばたきして見たが、すぐに「ふふ」と笑った。

「でも、そういうクラウディアだって、いつもメルの傍《そば》にいるじゃない」

『だってそりゃあ、あいつに恋着《れんちゃく》されたあんたと、僕を含むその他大勢じゃ、危険度に天と地ほどの差が――』

「あ」

クラウディアが喋《しゃべ》っている途中で、レナーテは唐突に立ち止まった。

なかば雪に埋もれて、青い小鳥が地面に転がっているのを発見したのだ。

『死んでるのかな』

「わからない……」

クラウディアが外套を抜け出してレナーテの肩に移動すると、レナーテは両手ですくうようにして小鳥を拾った。手のひらに小さな脈動が伝わってくる。レナーテは安堵《あんど》した。

「生きている。……でも、羽が折れているみたい」

レナーテは帽子を脱ぐと、中にクッション代わりに温かなマフを敷きつめ、その上に小鳥を寝かせた。

『連れて帰るの？』

「メルになら、助けることができるかもしれない。お願いしてみるわ」

レナーテが言うと、クラウディアが渋《しぶ》い顔をした。

『王子にやたら借りなんか作るもんじゃないって。きっと変態的な見返りを求めてくるよ』

「クラウディア」

レナーテはこの際だからと、肩に載《の》ったクラウディアにぴしゃりと告げた。

「おまえは誤解しているようだけれど、メルは変態じゃないわ。彼自身も言っていたように、一種の病気なだけ」

『……「だけ」って……。魔女どころか、とんだ……、ぶっとんだ聖女だよ、あんた』

そんな話をしているうちに、薄暗い針葉樹《しんようじゅ》の木立の先に城が見えてきた。

城に至り、城門をくぐったときである。中央に噴水を配した中庭の向こうから、漆黒《しっこく》の外套に身を包んだメルヒオールが足早に歩いてくるのが見えた。彼はこちらの姿に気がつくと、雪をものともせずに駆け寄ってきた。

「メル」

そんなに急いでどうしたの、と訊《たず》ねようとしたレナーテを、メルヒオールはクラウディアと瀕死《ひんし》の小鳥ごと抱きしめた。

「レナ……帰ってきてくれたんですね」

「もう充分に頭が冷えたから。メルはこれから出かけるの？」

「いいえ。クラウディアを迎えにやったは良いのですが、僕にはやはり君の帰りをただ待っていることなどできず、追いかけようと思って飛び出してきたところだったんです。……ああ、レナ、こんなに冷え切って。さあ、早く暖かい部屋に行きましょう」

メルヒオールはレナーテの手をとろうとして、彼女が両手で持った帽子の中身に目をやった。

途端、彼の眉間《みけん》に皺《しわ》が寄った。

「厄介《やっかい》なものを連れてきましたね」

「……この小鳥？　羽が折れているようだったから、拾ったの。治せないかしら」

「治すことはできますが、これは精霊ですよ」

「精霊？」

思いがけない言葉に、レナーテは帽子の中でマフに身をうずめた小鳥をもう一度見た。

ただの青い小鳥にしか見えない。

けれど考えてみれば、生意気な口を利《き》くクラウディアも、告げ口を得意とする黒うさぎも、見た目は普通の動物と変わらない精霊なのだった。

「それも、この鳥は誰かに一度恩を受けたら、恩を返すまで死ぬまで恩人につきまとうという非情に面倒な性質を持つ精霊なんです。僕もお目にかかるのは初めてですが、古い文献《ぶんけん》でそのような記述を目にしたことがあります」

「恩を仇《あだ》で返すわけではないならいいじゃない」

「いや……恩返しの方法は個体によって違うともいいますが、この精霊の中にはありがた迷惑な方法で恩返しをしてこようとする個体もいるそうです。僕が羽を治したら、これの恩人は僕になってしまう……」

メルヒオールはあまりこの精霊と関《かか》わりたくないようだったが、レナーテには、帽子の中でぷるぷると震える小鳥を見捨てることはできなかった。

「でも、お願い。助けてあげて」

レナーテが懇願《こんがん》するように彼を見上げると、メルヒオールは深く嘆息《たんそく》した。

「……わかりました。君がそこまで言うならば」

「本当？」

レナーテはパッと顔を輝かせたが、返ってきたメルヒオールの声は厳しかった。

「ただし、ふたつ条件があります」

肩にしがみついていたクラウディアが、ほら見たことかという風にレナーテを見た。

「条件……？」

「ひとつは、君の髪や瞳を加工しないこと」

……言うと思った。

レナーテは帽子の中を見おろした。小鳥はかろうじて生きてはいるが、どう見ても瀕死である。一刻を争う状況で迷っている時間はなく、レナーテはしかたなく言った。

「……わかったわ。約束する」

「きっとですよ、レナ」

ふりだしに戻ってしまったが、晩餐会までにはまだ日がある。

髪や瞳のことは、他に方法を考えるしかない。

「もうひとつの条件は？」

まったく予想ができずにレナーテが首をかしげていると、メルヒオールは急に悄然《しょうぜん》となって、黒絹のような睫毛を伏せた。ややあって、

「……僕を嫌いにならないでください」

聞きとりにくい声で彼はぼそぼそと言った。

それは条件ではなくお願いなのではないだろうか。

レナーテはしばらく無言で彼を見つめていたが、気がつくと微笑《ほほえ》んでしまっていた。

「わたし、メルのことを嫌いになんかならない。喧嘩しても、あなたが好き」

「……本当に？」

「ええ」

「それでしたらその証拠に、君から口づけをしてみせてください」

「え……」

レナーテは戸惑《とまど》ったが、メルヒオールの目はあくまでも真剣だった。

「不安なんです。ですが君がこの願いを聞き届けてくださったなら、僕の気はおさまります」

「そんなことを言っている場合じゃないでしょう。小鳥が死にかけているのよ！」

「ですから、早く」

クラウディアはいつのまにかレナーテの肩から姿を消しており、二、三歩離れたところから、また引いたような目つきでメルヒオールを見ていた。

レナーテは手にしていた帽子を、足元に置いた。

頬に熱が集まるのを感じながら、レナーテは彼に囁いた。

「……身を屈《かが》めて」

彼がその通りにすると、レナーテは彼の広い肩にそっと手をかけた。

それでもなお彼の目線の高さに届かないので、レナーテは背伸びをしようとして、ふと思いとどまった。濃く長い睫毛の底で、鮮やかな緑の目が依然《いぜん》としてレナーテを映している。

「目も閉じて」

レナーテが言えば彼は従ってくれるのだが、それが逆にレナーテを狼狽《ろうばい》させた。これではまるで自分が主導権を握っているようだ。背徳感《はいとくかん》にも似たものが胸に去来し、泣きたいような気持ちになる。

（やっぱり、恥ずかしい……。自分からこんなことをするなんて……）

成婚してから彼と口づけをかわさない日はなかったが、レナーテはどんなときも受け身で、ただ彼に任《まか》せていればよかった。だから、口づけのしかたなどわかるはずもなかった。

（……でも、わたしからしないと不安になるって、メルが……）

レナーテはとうとう愛する夫のために意を決した。

羞恥心《しゅうちしん》を振り払うと、メルヒオールの肩を摑んだ指先に力を込め、踵を持ち上げた。

互いの体温が近づくにつれて、心臓が早鐘《はやがね》に変わっていくのを感じる。けれど勇気がしぼんでしまう前に、レナーテは水紅色《とき》の唇を、陶器のように肌理《きめ》の細かい彼の頰に押しあてた。

そして一瞬で離す。

レナーテはブーツの踵を地面につけると、よろめくように彼から一歩、身を引いた。

「これでいい？」

レナーテが訊くと、メルヒオールはかすかに笑みを浮かべた。

レナーテはその微笑を肯定《こうてい》の意ととらえ、ほっと肩の力を抜いた。

だから、

「よくありません」

その言葉はまったく想定外で、思考が凍った。

不穏な雲が日を覆ったように、視界がふっと翳《かげ》った。

唇は軽く合わされただけでいったんは解放されたものの、息つく間もなく、今度は頤《おとがい》を摑まれて思いきり顔を上向かされた。だめ、と紡《つむ》ぎ出そうとした声は虚《むな》しく封じられ、くぐもった吐息《といき》に変えられる。

（本当に、今はだめなのに……）

ふたりきりのときならばともかく、すぐ傍でクラウディアが見ているのに、そして帽子の中では精霊が瀕死の状態なのに、こんなことをしていてはいけない。

拒《こば》まなければと、レナーテは弱々しく彼の胸に手を触れた。だが、その行動は却《かえ》って彼の熱を煽《あお》ってしまった。及び腰になっていた背中に彼の片手が這《は》わされて、強く引き寄せられる。

触れるだけだった口づけは突如《とつじょ》として一変した。唇を甘く食《は》まれ、歯列をこじあけられて、深く侵入される。レナーテの瞳に涙が滲《にじ》んだ。口移しで甘い毒でも含まされたように、痺《しび》れは身体の奥から指先へと、レナーテの身体をゆっくりと、しかし着実に侵《おか》していく。

『あのさぁ』

朦朧《もうろう》となりかけたとき、鼓膜を打った緊張感の欠片《かけら》もない声は、幻聴ではなかった。

口づけはふいに中断された。

メルヒオールはレナーテの顔に手を添えたまま、うるさそうにクラウディアを見おろした。

クラウディアはそれをものともせず、だるそうに続けた。

『新婚だし、仲直り早々いちゃいちゃするのは別に全然構わないんだけど、この小鳥ほっといていいわけ？　なんかこころなしか、もともと青い顔がさらに蒼褪《あおざ》めてきてるけど』

レナーテはハッと現実に返り、メルヒオールの腕をすり抜けると、素早く帽子を拾った。

マフの上で伸びた小鳥は、言われてみれば先程よりも蒼くなっているような気がする。

小鳥よりも蒼白になったレナーテは、急いで帽子をメルヒオールに託《たく》した。


小鳥の羽は確かに折れていたが、気絶していたのは病気のせいではなく、単に空腹のためだったことがメルヒオールの口から明らかにされたのは、その日の夕刻のことだった。

夕食の席で、メルヒオールは「人騒がせな鳥です」とぶつぶつと呟《つぶや》いていたが、その愚痴《ぐち》を聞きながら、レナーテは微笑んでしまった。

厄介な精霊だと言いつつも、彼は小鳥の羽に丁寧《ていねい》に添え木をしたあとで毛布がわりにハンカチをかけてやっていたし、小鳥が薄ぼんやりと意識を取り戻したときは、スポイトを使って手ずから水を与えていた。レナーテはそこに彼の世話好きな一面を見た気がしたのだ。

「……何を笑っているんですか」

食卓の正面の席に座ったメルヒオールが、スープをすくっていた匙《さじ》をとめ、怪訝《けげん》そうな顔でレナーテを見た。

「メルは、良いお父様になりそうね」

レナーテが言うと、メルヒオールは突然むせた。どうしたのだろうかと思って見ていると、彼はガタンと席を立ち、机の上に両手をついて、レナーテのほうに身を乗り出してきた。

「懐妊なさったのですか、レナ」

真剣かつ期待を籠めた口調でそう問われると、レナーテはぶんぶんと首を横に振った。

「ま、まだだと思うけれど……、あの、良いお父様というのは、単なるもののたとえよ」

「ああ……もののたとえ……。申し訳ない。僕としたことが、つい早合点《はやがてん》を」

メルヒオールは何事もなかったかのように着席すると、再び匙を手にした。

「しかし今後、君は定期的に女医に診《み》てもらったほうが良いかもしれませんね。なぜなら君は現に、すでに身ごもっていても不思議ではないのですから」

それはレナーテも常々考えていたことだったので彼のようにむせはしなかったが、彼に面と向かって言われると顔に火がつき、耳まで赤くなってしまった。

Ⅱ

朝の光が降り注ぐ温室の入り口の前には今、大きな麻袋《あさぶくろ》が置かれていた。

つい先程、町の園芸用品店から届けてもらったばかりの品である。中身は培養土《ばいようど》で、ひと抱《かか》えもある袋いっぱいに詰まっているものだから、相当の重量がありそうだった。どうせならば温室の中まで運んでもらえばよかったのだが、後悔は先に立たない。

（メルは朝から村の雪害状況を確認しに行っているからいないし、ヘンゼルとグレーテルはあまり腕力がなさそうだし……自分でなんとかするしかないわ）

ここから薔薇《ばら》の植え込みまで、二、三十歩程度。

土いじりをするので、エプロンドレスという軽装に身を包んでいたレナーテは腕まくりをしてから、培養土を持ち上げた。

「うっ……」

……重い。

ここまで運んできてくれた園芸用品店の男性は筋骨隆々《きんこつりゅうりゅう》で、軽々と肩に担《かつ》いできたものだから、甘く見過ぎていたのかもしれない。

（でも、ここに放置したままでは邪魔になるし、なんとか運ばなければ）

袋の重さによろめいて、体当たりするように温室の扉を開けると、レナーテは右に左に蛇行《だこう》しながらじりじりと薔薇の植え込みに近づいていった。

重さに耐えかねてだんだんと腕が震えてきたとき、

「奥様！」

温室の入り口からはきはきとした少年の声が響き、次いで、こちらに駆け寄ってくる足音がした。あっという間に横に並んだ少年に、レナーテはひょいと麻袋を取り上げられた。

「外からお姿が見えたので。力仕事でしたら男の僕に任《まか》せてください！」

おそらくレナーテよりは一、二歳年少。背丈《せたけ》はレナーテとそう変わらない、麦わら色の髪をしたその少年の顔にはおおいに見憶えがあった。

ブラウスの襟《えり》に青瑪瑙《あおめのう》のブローチを留《と》めた胸飾《ジャボ》りをつけ、貴族の子弟のように高貴で品のある装《よそお》いをしているが、彼はメルヒオールによく雑用を押しつけられている年若い弟子のひとりである。この城で起居《ききよ》しているため、幾度か廊下ですれ違ったことがあった。

名前は、確か——リヒャルト。

「ありがとう、リヒャルト。あなた、細いのに意外と力があるのね」

いったいどこに筋肉がついているのだろうと、レナーテがじっと彼を見つめていると、リヒャルトは白い瞼《まぶた》をかすかに染めて、「……これでもいちおう男ですから」と呟《つぶや》いた。

「そ、それより、奥様が僕なんかの名前を憶えていてくださったなんて光栄です……っ！」

「だって、メルの大切なお弟子さんだもの。いつもあの人を助けてくれてありがとう」

麻袋を抱きしめながら隣に並んで歩きだしたリヒャルトに、レナーテはふわりと微笑《ほほえ》みかけた。リヒャルトは一瞬、アクアマリンのような色をした大きな目を見ひらいてから、真っ赤になって俯《うつむ》いてしまった。

「だ、だめだ、いけない。この人は可愛《かわい》いけれど、先生の奥様、先生の奥様……」

　自分に暗示をかけるようになにかぶつぶつと言っているが、よく聞きとれなかった。先生がどうとかいうのは拾えたので、メルにこき使われるとか、レナーテは心配になって訊《き》いてみた。

「ねぇ。あなた、メルにこき使われるとか、なにか困っていることはない？」

「えっ!?　ど、どうしてそのようなことを訊かれるのですか」

「あの人、解答を間違った弟子には罰を与えるって以前自分で言っていたの。わたしが知っているメルはいつも優しいけれど、もしかしたら学者としては厳しいのじゃないかと思って」

「奥様……」

　リヒャルトは歩みをとめると、切実な目をしてレナーテに訴えてきた。

「そうなんです……！　先生ときたら本当に嫉妬《しっと》深くて独占欲の塊《かたまり》で、この前も僕がうっかり先生につられて奥様のことをレナ様って呼んだだけで、鬼のような形相《ぎょうそう》で睨《にら》……」

　急に黙りこんだリヒャルトの顔面が、サーッと蒼《あお》くなっていく。

　レナーテがその視線を追って振り返ると、いつからそこにいたのか、メルヒオールの姿があった。

「リヒャルト」

　レナーテの横に進み出てきた彼は小柄《こがら》な弟子に向かって陰鬱《いんうつ》な笑みを浮かべると、その手から麻袋をひったくるようにして奪い取った。

「これは僕が運びます。まだ成人もしていない君の体格では負担に過ぎるでしょう。……ときに、君は僕のいないところで、僕だけの可愛いレナに何を吹き込んでいたのですか」

「せ、先生は厳しいけれど優しくて、とても尊敬できる方だと申し上げていただけです！」

「そうですか。嫉妬深いだの鬼のようだのと聞こえたような気がしたのですが、……まあ良いでしょう。さあ、君は実験室に行って、あとでおこなう実験の準備でもしてきなさい」

「はっ、はい先生！　邪魔者はすみやかに退散致します……！」

リヒャルトはメルヒオールに深くお辞儀をすると、そそくさと温室から立ち去っていった。

「……あれにはあとでお仕置きが必要ですね」

メルヒオールは薔薇の柵《さく》の前に麻袋を下ろすと、低い声でぼそりと呟いた。

「何故《なぜ》？　彼はわたしを手伝ってくれたのに」

「君をいやらしい目で見ていた罰です」

「普通の目だったわよ」

レナーテが呆《あき》れて言うと、メルヒオールは嘆息《たんそく》した。

「君は本当に警戒心が足りない人ですね。いいですか、あれくらいの年頃の男子というものはあるとき突然、獣《けもの》と化すのです。見た目は小動物でも気を許してはいけません」

「メル。あなたを慕《した》ってくれる弟子のことをそんな風に言うものじゃないわ」

レナーテがたしなめると、メルヒオールは暗いまなざしをこちらに向けた。

「そんなに彼を庇《かば》うなら、君が彼の代わりに罰を受けてもいいんですよ。今、ここで」

レナーテがサッと彼から距離をとろうとすると、すぐさま手首を摑《つか》まれた。

「冗談ですよ、レナ。何もしません」

冗談と言いつつも、彼は笑っていなかった。

「君の仕事の邪魔をして嫌われてしまうのは厭《いや》ですから、また今度にします」

日は改められたようだが、どのみち罰は受けなければならないらしい。

メルヒオールはレナーテの手首から指をほどくと、涼しい顔で別の話をしはじめた。

「ところで、このところ温室には寒色系《かんしょくけい》の薔薇が急に増えましたね」

「ええ。青薔薇を作ろうと思って、以前から研究をかさねながら、たくさん試作していたの。それがここ数日で、一斉に開花したのよ」

「青薔薇を？」

「本当は異母妹《いもうと》の……アンネマリーの結婚のお祝いにしたかったのだけれど、間に合わなかったの。でも、いつかあの子が子供を授かったら、あの子の髪や目の色と同じ、青い薔薇の花束を贈って祝福してあげたくて……。ここにはまだわたしの理想の青薔薇はないけれど」

レナーテはアンネマリーの髪と同じ薄水青と、瞳の色の深い青をした青薔薇がほしかった。だから改良に改良をかさねてきた。

温室で開花を待っていた薔薇は青紫や藤紫の蕾《つぼみ》をつけ、申し分ないくらい美しく咲いてくれたけれど、それはアンネマリーを彩る青ではなかった。美しくとも、自分が目指した色を出すことができなかった点においては、残念ながらどれも失敗作と言わざるをえなかった。

(そもそも、青薔薇を作ろうと思うこと自体が問題なのかも……)

レナーテは、そっとメルヒオールの顔をうかがった。

「あの……無謀《むぼう》だと思っている……?」

なにしろ青薔薇は不可能の代名詞だった。

薔薇は青色素を持たないため、どんな科学者にも、赤みや黄みを帯びない真っ青な薔薇を生み出すことは不可能だと言われている。

けれどメルヒオールは笑いもしなければ、呆れたようなそぶりも見せなかった。

真剣な顔つきでレナーテの視線を受けとめると、学者らしい口調で告げた。

「無謀だなんて思いません。一見不可能と思われることにもすすんで挑み、それまでの定説を崩しにかかるのが科学者というものでしょう。……それに君は、ご自分になら青薔薇を生み出せるという自信があるからこそ、こうして熱心に研究を続けているのではありませんか」

「自信?」

「植物学者としての自信です。おありでしょう」

自信……。

レナーテはしばし考え込んでしまった。

どうなのだろうか。自分に自信はないが、それは容姿によるところが大きい。仕事における自信というものについては、これまでじっくりと考えたこともなかったけれど、確かに、そう言われてみれば……。

「あるわ」

思わずきっぱりと口にしてしまってから、レナーテは慌《あわ》てて取り繕《つくろ》った。

「だ、だって自信がなければ、村の人たちの大切な木の命を預かる樹木医のお仕事をしたり、自分で品種改良した薔薇と引き換えにお金をいただいたりすることなんてできない。わたしには専門家としての自覚と自負があるから、青薔薇も作りだせると確信しているの」

彼がかすかに微笑んで自分の熱弁に耳を傾けていることに気がつくと、レナーテははたと口をつぐんだ。

（わたしったら、本物の天才博物学者の前で、何を豪語しているの……）

湯気が出そうなほど顔が火照《ほて》り、レナーテは俯く。すると白い彼の手に、頬《ほお》にかかった薄紅《うすべに》色の髪をそっと払われた。

「青薔薇を生み出したとき、君は可憐《かれん》で聡明《そうめい》な女性から、女神に生まれ変わるのでしょうね」

彼が呟いた言葉にレナーテは瞳をまたたき、顔を上げた。

「……ごめんなさい、意味がよくわからない。それは何かの小説か詩の一節？」

「いいえ。聖典に基《もと》づいた話です。神が自分の姿を模して造ったとされる人間には、神のように、人間以外のあまねく動植物を支配する権限が与えられているといいます。人間は自然界の頂点に君臨する生き物だという、驕《おご》った思想ですが……」

メルヒオールはレナーテの頬に触れたまま、青紫の薔薇の茂みに視線を移した。

「動植物を思うままに支配できる人間が神の次に高等な存在だというならば、それ以上のこと――たとえば科学者がもともとこの世に存在しなかったもの、創世記に神が創造しなかったものを生み出した場合、それを成《な》し遂《と》げた人間はすなわち神に比肩《ひけん》する存在となるわけです。神は薔薇に青色色素を与えなかった。ですから君がその手で青薔薇を生み出したなら、君は人間という存在を超え、女神になる」

この世界に生きとし生けるものはみな神によって完璧に造られたもので、不変であるという、デザイン論……。人々のあいだに広く浸透していた教義を、かつて自分の論文で根底から覆《くつがえ》し、物議をかもした博物学者だけあって、彼の言うことは相変わらず大胆だった。

この文化圏の宗教では神は一柱《ひとはしら》しか存在してはならないというのに、勝手に女神を作り出してしまうなんて。

「……なんだか、すごい理屈ね。あなたらしいけれど」

「しかし聖典を正しく解釈すればそういうことになるはずです。聖典に矛盾《むじゅん》がない限りは」

「だったら、わたしよりも優れた博物学者のあなたは何になるの？」

「僕は人間のままです。単に自然界の仕組みを科学的に突きつめようとしているだけですから。

聖職者のような言葉で言い換えるなら、僕がしている研究は、神がお造りになったこの世の設計図を読み解いているだけのことに過ぎません」

「そういうものなのね……」

レナーテは曖昧《あいまい》に相槌《あいづち》を打ったものの、哲学や論理学のような話は不得手《ふえて》で、彼が言っていることの半分程度しか理解できなかった。あとで文章にまとめてもらおうと心に決めて、レナーテも青紫の薔薇を見る。

真っ青になりきれなかった薔薇を眺めているうちに、レナーテは思い出した。

「そういえば、昨日の小鳥の様子はどう?」

「それが……」

メルヒオールが説明しかけたときである。

『見つけたぜ、王子!』

天井《てんじょう》のほうから溌剌《はつらつ》とした声がした。

ふたりが同時に頭上を仰《あお》ぐと、高い位置にある窓から、ぴゅーんと音を立てて小さな青い小鳥が入ってくるところだった。

小鳥はメルヒオールめがけて流星のように急降下してくると、彼の頭の上に着地した。

「ご覧の通りです。尋常《じんじょう》ではない早さで復活しました」

頭の上に小鳥を載《の》せたまま、メルヒオールが抑揚《よくよう》のない声で言った。

レナーテはじっと小鳥を観察した。昨日、死にかけていた鳥と同一の鳥であることは確かなようだが、元気に飛んできたし、黒くつぶらな目もきらきらと輝いている。

レナーテは感心した。

「さすがだわ、メル。あなた、獣医さんにもなれるのではないかしら」

「いや、これが異常なだけですから、獣医は無理ですよ」

『ん？　なにこそこそ話し合ってんだ？　まあそんなことどうでもいい！　おい王子、ここで会ったが百年目！　俺に恩返しさせやがれ！』

青い小鳥がいきなり羽をばたつかせながら、メルヒオールの頭をげしげしと蹴《け》りはじめた。

「お気持ちだけで充分です。僕は今レナを独り占めするのに忙しいので君に構っている暇《ひま》はないんです。申し訳ありませんがどこかへ行ってください」

メルヒオールは頭に手をやって小鳥を捕まえようとしたが、小鳥はすばしこくよけた。

彼の苛立《いらだ》ちには気づかない様子で、今度は肩に飛び移る。それから小鳥はレナーテには聞かせないようにするためか、羽で嘴《くちばし》の横を覆《おお》うと、メルヒオールにごにょごにょと告げた。

小鳥の声は内緒話にしては大きすぎて、その内容は全部レナーテに筒抜けだった。

『俺の特殊能力は有機物の一部を青くすることだ。晩餐会《ばんさんかい》の日が近いんだろ？　この娘の髪と目の色を美しい青にしてやるよ。ほら、さっき青色色素がどうこうとかお前ら話してたじゃん。レナーテの色素をちょっとばかり魔法で変えるんだよ。魔法だからもちろん副作用も発癌性《はつがんせい》物

質もねぇぞ。アクアマリン、ラピスラズリ、組み合わせは自由！』

副作用も発癌性物質もなく、色素そのものを青くする？

レナーテの心は大きく動き、彼女は思わず小鳥のほうに身を乗り出していた。

「あ、青くして！　わたし、アンネマリーのようになりたい……！」

てっきり小鳥は『おうよ！』などと快諾《かいだく》してくれるかと思いきや――違った。

見向きもせずにメルヒオールの肩の上でおもむろに寝転がると、羽の先で鼻をほじった。

『俺の恩人は王子だっつーの。恩人以外の頼みなんかぜってー聞かねーし、バ～カ』

……なんて態度の変わりようだろう。レナーテはムッとなるのをこらえて言った。

「でも、雪に埋もれて遭難しかけていたあなたを拾ってあげたのはわたしよ」

『ええ～？　うぅ～ん、まぁ、う～ん、そうだけどさぁ～』

小鳥はむくりと起き上がると、人の神経を逆なでするような調子でレナーテに言い放った。

『俺の恩人があんたか王子かは……、お～れ～が～決～め～る～の～！』

レナーテはきゅっと唇《くちびる》を噛《か》んだ。自分はこんな小動物にまで侮《あなど》られてしまうのか……と悲しい気持ちになっていると、メルヒオールが冷ややかな声で小鳥に言った。

「君の恩人が僕でもレナでも構いませんが、僕の可愛いレナの身体にわずかでも手を加えてごらんなさい。君を即刻、料理長に引き渡してスープのだしにしてもらいます」

メルヒオールはレナーテの父や王太子を脅迫したときと同じ目で小鳥を見据《みす》えた。

その眼光の鋭さには、おちゃらけた小鳥もさすがにひるんだようだった。

『なんだよー、つっまんねー男！　そこまで言うなら無理にとは言わねぇけどさ、いいか、俺は恩返しするまでぜってー諦《あきら》めねぇ。王子、死ぬまでお前につきまとってやんぜ！』

小鳥はメルヒオールの肩の上で宣戦布告するようにびしっと羽を突きつけると、羽をぱたぱたさせて、来たときと同じようにぴゅーんと音を立てて飛んでいった。

（『この鳥は誰かに一度恩を受けたら、恩を返すまで死ぬまで恩人につきまとう』……昨日メルが言った通りだわ）

さっぱりしていそうな性格だったのに、実は粘着質。精霊の性《さが》とは恐ろしいものだ。

空に吸い込まれていく小鳥の姿を見送っているレナーテの傍《かたわ》らで、メルヒオールが何か独《ひと》り言《ごと》のように呟いていた。

「青色素……、なるほど、信仰心を逆手にとれば……」

「……メル？」

「いえ、なんでもありません。……レナ、先程の話の続きですが……君は青薔薇を作る自信がおありなんですよね」

「え……？　ええ。でも……」

あらためて同じことを訊かれると、なんだか急に自信がなくなってくる。

だからレナーテは強がらずに、素直に口にした。

「どうしても研究に煮詰まってしまったときは、あなたの知恵を借りてもいい？」

「もちろんですよ、レナ。もとより君への協力は惜しまないつもりでした。僕たちが共同研究すれば、必ず青い薔薇は完成します。君もそう思いますよね」

「ええ」とレナーテが頷くと、メルヒオールはほっと息を吐き出して、急にきつくレナーテを抱擁《ほうよう》してきた。かすかに香る薬品の匂《にお》いと熱いほどのぬくもりに包まれて、レナーテの体温は急に上昇した。

「メ、メル？」

「レナ、どうか忘れないでください。これからどんなことがあろうと、君は自分を責めたり、後ろめたくなる必要はないんですよ。僕の妻として、そして女神として堂々とふるまっていればいいんです。どんな嘘《うそ》も、本当だという証拠を科学的に示してしまえば嘘ではなくなる」

「あの……、わたし、あなたが何を言っているのか全然わからないのだけれど、もしかして、それも聖典の解釈の話……？」

「……そんなところです」

彼はレナーテの髪に顔をうずめていたので、彼がどんな表情をしているのかわからなかった。けれどレナーテが解放されたとき、彼はいつものように、わずかな翳《かげ》りと穏やかさをたたえた目をして、笑いかけてきてくれたのだった。

手の甲に蒼白い光が差して、レナーテは膝《ひざ》の上でひらいていた書物からふと顔を上げた。

上質な光沢《こうたく》のある臙脂《えんじ》色のカーテンはひらかれており、バルコニーと寝室を隔《へだ》てる窓の向こうには満天の夜空が広がっている。冬の空は冷たく透き通っていた。瑠璃《るり》の空に銀粉《ぎんぷん》を刷《は》いたように星はまたたき、真珠にも似た真円の月は、薄青の光で漆黒《しっこく》の夜を照らしていた。青は清廉《せいれん》な色だ。闇《やみ》を照らす月明かりの色、すべてを洗い清める水の色でもあった。

ぼんやりと月に見入っていると、ノックのあとに、部屋の扉が開いた。入室してきたのはメルヒオールである。彼はレナーテの姿を視界に映してから静かに扉を閉めると、彼女が椅子《いす》のようにして腰掛けている寝台のほうに歩いてきた。

「メル、本当に小鳥の話を受けなくて良かったの？」

「君の蜂蜜《はちみつ》色の瞳や、匂い立つような桜色の髪を青に変えるという話ですか？」

寝台のばねが軋《きし》む。隣に座りながら訊《たず》ねてきた彼に、レナーテは言った。

「あなたはわたしが髪を染めることを頑《かたく》なに反対した。でも、あなたの気がかりは染粉《そめこ》に含まれるかもしれない発癌性物質のことだけだった。けれど青い鳥の魔法ならば人体に影響はないのでしょう？」

メルヒオールは口をつぐんだ。

沈黙はつまり肯定《こうてい》の意なのだろうとレナーテは受けとめた。精霊の力を借りれば、レナーテは身体的影響を受けることなく、それこそ魔法のように――アンネマリーのような薄水青の髪と、青色サファイアの煌《きら》めきを宿した瞳を手に入れることができるのだ。

　レナーテは寝台に置かれていた彼の手の甲に、自分の手のひらをかさねた。彼の指がぴくりと反応するのが伝わってきた。

「ねぇメル……、青い小鳥がわたしたちのもとへやってきてくれたことで、状況は変わったわ。だから……やっぱり、もういちど考え直してほしいの。あなたは気にしなくても、国王陛下《へいか》は、王子妃のわたしが魔女と同じ髪や目の色をしていることを望まないと思う」

　メルヒオールはレナーテから目を逸《そ》らした。

「それでも僕の考えは変わりません」

「メル」

「君は僕の装飾品ではない。その精神も血も肉も骨も、僕がまるごと愛した妻なんです。変わるべきは君ではなく、聖典に踊らされ、くだらない迷信で目を曇らせた人間のほうです」

「……あなたが言っていることは正しいかもしれない。それでも、人の信念をそんなに簡単に変えることはできない」

「できます」

　メルヒオールはきっぱりと言い切ったが、なぜそんな風に断言できるのかまったくわからず、レナーテはさらに斬《き》り込んだ。

「それなら教えて。どうやって変えるの？」

「晩餐会の当日を迎えればおのずとわかりますよ。……やめませんか。こんな話は」

かさなっていない方の彼の手で、レナーテはそっと髪をかき上げられた。

口づけされることを予期して鼓動が跳ねる。しかし唇が触れあう寸前で、レナーテは意志の力でふいと顔をそむけた。

「はぐらかそうとしても無駄よ。あなたは、弟子のリヒャルトや王立大学の学生に教授し、彼らの質問にも答えているのでしょう？　だったら、同じようにわたしの質問にも答えて」

沈黙したメルヒオールに、レナーテはさらに畳《たた》みかけるように言った。

「メルが答えてくれるまで、わたし、……もうメルと一緒に寝ない」

レナーテは彼の手を離すと、本を閉じて寝台から立ち上がった。彼のほうを見もせずに歩き出そうとしたとき、背後から素早く腕を摑《つか》まれた。

「待ちなさい。……それだけは、絶対に厭です」

彼の声は、レナーテを呼びとめたところまではっきりしていたものの、後半になるにつれて小さくなっていった。彼らしからぬ様子に驚いて振り向くと、彼は主人に捨てられそうになった猫のような目でこちらを見上げていた。

（こんなの……卑怯《ひきょう》だわ）

それが計算なのかそうでないのかレナーテには判断できなかった。

けれどおかげで彼の手をふりほどこうという気は一気に失せてしまい、レナーテは彼に乞《こ》われるまま、もういちど寝台に座り直した。

せめて口をきくのはよそうと決めて長いこと押し黙っていると、その横で、メルヒオールがついに根負けしたように、ぼそぼそと話しはじめた。

「……わかりました。答えます。君も望むように、精霊の力を少し借りるんです。あの精霊の提案をそのまま受けるわけではありませんが、とにかく……、そう、とにかく青くします」

どことなく歯切れが悪いようにも思われたが、レナーテはさして気にしなかった。

それよりも、普段は頑固なのにあっさりと自分の考えを改めてくれた彼に、レナーテは拍子《ひょうし》抜《ぬ》けしてしまったのだ。

「……本当？　急に小鳥の提案を受けてくれる気になったの？」

「はい。僕は君に真実しか言いません」

レナーテは安堵《あんど》のため息をついた。

「そうだったわね。……それならいいの。あなたが乗り気になってくれてよかった。今はまだ不本意かもしれないけれど、いつかきっとその選択が正しかったと思える日が来るわ」

それで、と、レナーテは抜かりなく質問した。

「いつ魔法をかけてもらうの？」

「晩餐会で君をお披露目《ひろめ》するそのときまでには」

「何故いますぐではないの？」

レナーテの問いに、彼は一拍置《いっぱく》いてから言った。

「晩餐会の直前まで君の本来の姿を惜しみ、目に焼きつけておくためです」

「そう……。そういうことなら、別にいいの。晩餐会に間に合いさえすれば」

「嘘はついていませんよ」

「……え？」

メルヒオールはおもてを上げると、ベッドサイドテーブルに手を伸ばし、照明器具の明かりを落とした。淡い闇に目が慣れないうちに、レナーテの肩に彼の指が触れる。

硝子《ガラス》の人形を絹《きぬ》の箱に収めるように、レナーテは慎重に毛布の上に押し倒された。

「ですから、あとで怒らないでくださいね」

レナーテの両側に手をつき、逃げ道を塞《ふさ》ぐようにしてから、彼はそう口にした。

抵抗もせず、表情もなくレナーテは彼を見つめていたが、先程からどうも引っかかる。

「……なんだか変ね。そんなに念を押されると、逆に怪《あや》しい」

「怪しくありません。本当に先程の小鳥の力を使います。誰もが君を認め、僕たちを祝福するでしょう。……レナ、僕を信じてください。国王の人柄《ひとがら》やその周囲の人間の考えは、君よりも僕の方がよほどわかっているのですよ」

「それは……、そうでしょうけれど」

「ですからレナ。この件に関しては、どうか全面的に僕に任せていただけませんか」

エメラルドの瞳は薄闇のせいで暗く沈んではいたが、降り注がれるまなざしが真摯《しんし》であることは疑いようもなく、レナーテは頷いた。

「……わかったわ。あなたを信じる」

「ありがとうございます」

ですが、と彼は先を続けた。

「君にはまだ不安があるのですね」

「そんなこと――」

「顔を見ればわかります」

レナーテは温かな手で頬に触れられた。メルヒオールはいつもレナーテの心を見透かしてしまう。レナーテは誰かに弱さをさらけだすことにも、甘えることにも慣れていなかった。けれど彼の手にかかれば、強がりの仮面も簡単に外されてしまうのだ。だからもう諦《あきら》めることにして、レナーテは、自分の胸を塞いでいたものを、水紅色《とき》の唇から静かに紡《つむ》ぎだした。

「わたしは、メルの気持ちがわたしから離れていったりしないか、少しだけ心配だったの」

「どういうことでしょうか」

「言い出したのはわたしなのに、呆れたりしないでね」

「呆れません」

レナーテは彼の返答に勇気づけられて、思い切って訊いた。

「メルは、わたしの髪や目の色が変わってしまっても、今までと変わらずにわたしを好きでいてくれる？」

「当然です」

　メルヒオールは真顔で即答した。しかし、直後、瞳に戸惑《とまど》いの色を浮かべた。

「君はわかりきっていることを何故わざわざ訊くのですか。まさか、僕は無意識のうちに君を不安にさせるような言動でもしたのでしょうか。それならどうか教えてください、レナ。君の許しを得るためなら、僕はどんなことでもしますから」

　メルヒオールが急に深刻な気配を帯びたので、レナーテは焦《あせ》った。

「ち、違う。ごめんなさい。あなたはいつもわたしを幸せな気持ちにしてくれる。本当よ」

　レナーテは慌てるあまりつっかえつつ彼をなだめてから、小声で続けた。

「ただ、わたし……メルのことが好きだから、とても好きだから、ひとりで勝手に悪いほうに考えて、不安になってしまうところがあるの。以前クラウディアにも言われたわ。陰気で根暗でおまけに卑屈《ひくつ》だって。動揺させてしまってごめんなさい」

「君が謝ることはありません。ただ……心外ではありました」

　彼は暗い目をして言った。

「僕は常に君を求めてやまないのに、君は、僕がどれほど深く君を愛しているのか、まだ理解されていなかったのですね」

「そ、そういうわけじゃないのよ」

「いいんですよ、レナ」

メルヒオールはレナーテの髪に、すっと手を差し入れた。

「ゆっくりと教えてさしあげますから」

「教える……？」

髪を梳《す》かれ、首すじを彼の指先がたどる感覚にレナーテはぞくりとした。

「何日、……いえ、何か月かけてでも君にわからせてあげます。……もしかしたら君は、今度は僕に愛されすぎていることが怖くなってしまうかもしれませんね」

彼は、月光の具合でそう見えるだけかもしれないが——沼底のように暗い笑みを浮かべた。

……すでに怖い。

レナーテは下手《へた》に彼を刺激しないよう、無言で彼の下から逃げようとしたが、あえなく手首をとらえられて、寝台に押さえつけられてしまった。

「逃げないでください」

「ええ、でも、教えてくれなくても平気よ。もうわかっているから」

「今のは少し脅《おど》かしただけですよ、レナ」

というわりにはやはり彼の表情は薄暗かった。だが、彼はもともと快活な青年でもないのでそれはしかたがないことだった。優しいことには変わりないし、言っていることが少しおかしいからといって、むやみに夫を怖がるのはよそうとレナーテは思い直した。

「……それならいいの」

レナーテがおとなしくなると、メルヒオールは顔を伏せて、レナーテの唇に軽く触れた。

その口づけがふたりの夜がはじまる合図なのだとレナーテはもう知っているから、鼓動が少しずつ加速していく。

頰や額《ひたい》に唇で触れられながら、長い指で鎖骨《さこつ》のあたりを探られる。

儚《はかな》い衣擦《きぬず》れの音を立てて、胸の前で編みあげられていたリボンがほどかれる。

胸元をそっとひらかれて、淡い光のもとに素肌をさらされた。レナーテは無心で夫の白いおもてを見ていたが、わずかに乱れた黒髪が頰になす影、濡れたように煌《きら》めく瞳、鮮血の色を透き通したように紅《あか》く薄い唇を眺めているうちに、突然、室内が思いのほか明るかったことに気がついた。部屋の明かりのほかに、窓から満月の光が差すせいだ。肌を隠そうと持ち上げかけた両手には、行動を先に読まれていたかのように、いつのまにか彼の指が絡《から》みついていた。

冬が長く、日照時間の少ないこの地域で生まれ育った人間は、みな、月長石のように蒼みを帯びた白い肌をしていた。だから一糸《いっし》まとわぬ姿になれば、肢体《したい》は夜の雪のように明らかに闇に浮かびあがる。

レナーテの頰は羞恥《しゅうち》の色に染まったが、それでも視線は容赦《ようしゃ》なく上から注がれた。

見ないでほしいと訴えるよりも先に、彼が口をひらいた。

彼はそんなことを呟いた。

「まだ消えませんね……」

熱っぽさとはかけ離れた、解剖医《かいぼうい》のように冷静なまなざしでレナーテの身体を凝視《ぎょうし》しながら、彼はそんなことを呟いた。

「……え？」

「内出血の痕《あと》です。一昨日、僕が君に過度に欲情するあまりつけてしまった」

他人事《ひとごと》のように言うのでレナーテは一瞬流しかけたが、遅れて真っ赤になった。

（メルは婉曲《えんきょく》な言い回しを嫌う人ではあるけれど、もう少し別の言い方はなかったのかしら）

レナーテは恥ずかしくて改めて見る気はとても起こらなかったものの、彼の発言に心あたりはあった。一昨日の夜に胸をきつく吸われ、紅い花片《はなびら》のような痕を刻みつけられたのだ。

「許してください。レナ」

彼は陰鬱な声で囁《ささや》くと、レナーテの肌にそっと触れた。

陶器のような質感の指で、胸の膨《ふく》らみを直接なぞられる。名状できない感覚にレナーテの肌は粟立《あわだ》った。少し触れられただけで敏感に反応してしまうことに気づかれたくなくて、レナーテはしいて落ち着いた声で言った。

「な、何か……不都合なことがある？　たとえ胸元が大きくあいたイブニングドレスを着たとしても、外からは見えないような、あの、とても……相当際《きわ》どい位置だと思うけれど……」

自分の言葉に余計恥ずかしくなってしまったので、レナーテはもう黙ることにした。

「そんなドレスは寝衣《しんい》のほかに君に与えませんのでもとより問題ありません。君の肌を見て良いのは僕だけです。……そうではなく、口づけの痕というのは、君には説明するまでもないことでしょうが、内出血です。わかっていたのに、僕は大切な君の毛細血管を破ってしまった」

毛細血管を破る……。

確かに彼が言っていることは間違っていないのだが……。

「困ったわね。メルは本当に、一種の病気かもしれないわ」

レナーテは心配になった。それに、彼は今さらなにを言うのだろう……と素朴《そぼく》な疑問をいだきもした。最初の夜に与えられた痛みに比べれば、内出血など無痛に等しいのに。それとも彼は、破瓜《はか》はどうあっても避けることができないものだから割り切ることができていて、口づけの痕を残すことは必ずしも必要ではないからこんなにも落ち込んでいるのだろうか。

（……そういうことにしてしまおう。こんなはしたない質問はさすがにできないもの……）

時と場所を選ばずにしばしば思索《しさく》に耽《ふけ》ってしまうのは、自分の悪い癖《くせ》だった。

レナーテは無言のまま自己完結すると、気遣《きづか》うように彼の頬に触れた。

「わたしは嬉《うれ》しかった。あなたから所有のしるしをもらえたようで。だから、別に毛細血管を破っても構わないし、あなたはもっとわたしを、あなたの好きなようにしてくれたらいい」

すると彼の瞳が、わずかに光を取り戻した。

「好きに？　その言葉は忘れないとしても、今夜は反省したいので……優しく触れます」

彼はおもむろに身体をずらすと、曲線をなぞるようにレナーテの素肌に触れていった。

真っ白な胸からその下に浮き出した肋骨《ろっこつ》、かすかに上下する腹部、細い腰、……滑らかな手はやがて腿《もも》の内へと至る。

丁寧《ていねい》に触れられているうちに、レナーテはこわばっていた身体がほぐれ、上気していくのを自覚していた。徐々に緊張が解けていく一方で、鼓動は音を立てて速く打つ。

柔らかな唇と熱い指先で敏感な場所を探りあてられると、理性はたちどころに突き崩された。余計なことを考える余裕を失い、完全に彼に支配されてしまうのに時間はかからなかった。

結ばれてから幾度も夜を重ねるうちに、レナーテの身体は恐ろしいまでに彼に知り尽くされていたのだ。

「……っ」

水紅色《とき》の唇から、こらえきれずにあえかな声が漏《も》れる。優しく触れると言っていたのに、彼の愛撫《あいぶ》は執拗《しつよう》だった。一方的に与えられる愉悦《ゆえつ》にレナーテは震え、白い咽喉《のど》をのけぞらせた。身体の奥がひどく熱い。瞼《まぶた》が火照《ほて》り、瞳から透明の雫《しずく》が溢《あふ》れだす。夢のような、得《え》もいわれない心地は限度を超えて、いつしか苦しいほどの甘い疼《うず》きに変わっていた。

「メル、もう、わたし……」

呼吸もままならず、喘《あえ》ぐように口にして、レナーテは潤《うる》んだ瞳で彼を見た。

わかっています、と抑《おさ》えた声が降ってくる。

濡《ぬ》れた目元に唇で触れられたあと、彼が上体を起こすのを風で感じた。

そっと膝を摑まれたとき、黄金の瞳から涙がまた一粒、真珠のように転がり落ちた。


——いつ魔法をかけてもらうの？

昨夜、黄昏《たそがれ》の光のように美しい目を輝かせ、そう訊ねてきた最愛の妻に、自分は答えた。

晩餐会で君をお披露目するそのときまでには、と。

メルヒオールは横で安らかな寝息を立てて眠るレナーテを見つめた。

昇りそめたばかりの薄日をまとった彼女の肌は、目がくらむほど白く、澄んで清らかだった。

闇の中ではかぐわしく匂い、ぞっとするほど妖麗《ようれい》な艶《つや》を帯びるというのに、朝が来ると途端、無垢《むく》な乙女に返ったようになるのが彼はいつも不思議でならなかった。

淡い紅薔薇色の髪は、夜光貝《やこうがい》の粉でもまぶしたようにきらきらと光っている。

メルヒオールは彼女を起こさないよう慎重に、柔らかな髪に触れた。

絹のように優しい手触りと温かさに、どうしようもないほどの愛しさが込《こ》みあげてくる。

こんなにも彼女を愛しているのに……。

「……君を陥《おとし》れた僕を、どうか嫌いにならないでください」

メルヒオールは囁くと、赤く透明な彼女の唇に口づけをした。

レナーテが目を覚ましたとき、寝台に夫の姿はなかった。

代わりにベッドサイドテーブルに、彼の筆跡で手紙が書き残されていた。

——君が育てている薔薇の中に、たいへんめずらしい特徴を持つものがありました。花片《はなびら》が散ってしまう前に、急ぎ王立大学で分析《ぶんせき》します。申し訳ありません。僕は君にとりかえしのつかないことをしました。


レナーテは寝衣の上にガウンを羽織ると、手紙を持って寝室を飛び出した。

白壁に金の燭台《しょくだい》が並ぶ廊下を見渡してみるが、メルヒオールの姿はもうなかった。

（とりかえしのつかないこと……？）

薔薇を勝手に持ち出したことだろうか。

それとも、自分に何も告げずに突然王都へ発《た》ってしまったことだろうか。

けれどいくら彼が自分に対して罪悪感をいだきやすい性分《しょうぶん》であったとしても、そのどちらも、とりかえしがつかないことと形容するようなだいそれたことではなかった。

レナーテには見当もつかなかったが、さほど気に留めなかった。

そのときはまだ、彼が彼に特有の一種の病気の発作をまた起こしただけだろうと、重く考えなかったのだ。

しかしメルヒオールはその日から翌週の晩餐会の当日まで、ついにカレンデュラの城に戻ることはなかったのである。

Ⅲ

一週間前の夜を最後に顔をあわせていないメルヒオールとは、晩餐会《ばんさんかい》の直前に王宮の控室で落ちあうことになっていた。

突然レナーテの薔薇《ばら》をいくつも持ちだした上、弟子のリヒャルトを連れて王立大学の研究室に籠《こ》もってしまった彼だったが、レナーテと音信を絶ったというわけでもなかった。

王都からレナーテの晩餐会用のドレスや装飾品を送ってきたり、雑用を申しつけてリヒャルトだけ一時的に城に帰すこともあった。

メルヒオールの不在中に、レナーテは城の研究塔でリヒャルトと鉢合《はちあ》わせたことがあった。リヒャルトはメルヒオールに青い小鳥を王立大学に連れてくるよう命じられたらしく、小鳥が行儀よくおさまった鳥籠《とりかご》をかかえていた。レナーテはそのときにメルヒオールの近況や、彼の研究内容を詳しく訊《たず》ねようとしたが、メルヒオールを慕《した》う少年は口止めでもされているのか、毒にも薬にもならないような情報しかレナーテにもたらしてくれなかった。

「先生はお元気ですし、気持ち悪いほど……ではなく尊敬に値《あたい》するほど奥様ひとすじですからご安心ください！　先生は仮眠室でおやすみになられているときも寝言で奥様のお名前ばかり呟《つぶや》くものですから、研究室で飼っているインコのフリードリヒの口癖《くちぐせ》が『レナ、レナ、アイシテマス！』になってしまったくらいなんです！」

レナーテはインコの口癖などどうでも良く、ただメルヒオールが薔薇の何を熱心に分析《ぶんせき》しているのかを知りたかったのだが、リヒャルトはそれについては黙して語らず、ただ青い小鳥一羽をともなって、逃げるように王立大学へととんぼ返りしてしまった。

それからいくつかの日を送り、レナーテは不安な胸中のまま、とうとう晩餐会の日を迎えてしまった。

落ち着かない理由はほかでもない。四半刻後には国王夫妻や貴族たちが集《つど》う広間に行かなければならないのに、自分の髪は紅《あか》く、目の色は黄金《きん》のままだったのだ。

今朝、メルヒオールがカレンデュラの城まで迎えに寄越《よこ》した馬車に乗り、レナーテは王都の中心部に所在する王宮にやってきた。すっかり日が落ちてしまった今は控室で王立大学からのメルヒオールの到着を待っているところだった。

髪や目の色を隠すために目深《まぶか》く被《かぶ》ってきた帽子をソファの上に置き、同行してきてくれた世話係、ヘンゼルとグレーテルと三人でテーブルを囲んだ。テーブルの上には何種類かの香草茶と、小さなクグロフやレープクーヘンといった菓子が用意されていた。レナーテはとにかく気持ちを落ち着かせなければと、沈静作用のあるセントジョーンズワートティーを迷わず選び、できるだけゆっくりと口に運んだ。

人心地ついたところで身支度にとりかかる。銀の枠に百合《ゆり》の彫刻があしらわれた姿見の前で、レナーテはふたごの世話係の手によって手際《てぎわ》よく着替えさせられた。

真珠や水晶の粒を綺羅星《きらぼし》のようにいくつも散りばめた雪色のアンダースカートに、上品な光沢《こうたく》のある別珍《べっちん》の黒のオーバードレス。細い腰の線を浮き彫りにしたウエストのリボンと、楕円《だえん》形《けい》の黄玉《トパーズ》を中央にあしらった襟飾《えりかざ》りのリボンはオーバードレスと共布《ともぬの》で仕立てられた黒地で、レナーテの髪色の淡い紅《くれない》を否《いや》が応《おう》でも引き立ててしまっている。さらに、仕上げに頭に飾られたのも、雪の結晶のように繊細なレースがあしらわれた黒のヘッドドレスだった。

「レナ様、本日はまた一段とお美しいですわ！　苺《いちご》色のお髪《ぐし》やミルクのように白いお肌に高貴な黒がよくお似合いですこと。レナ様の隅々まで知り尽くされている殿下のお見立てはさすがですわね。……なんて、きゃーわたしったら恥ずかしい！」

グレーテルは勝手に妄想《もうそう》して真っ赤になると、両手で顔を覆《おお》ってしまった。

「リボンを留《と》めた宝石が、あなたの瞳《ひとみ》と同じ美しい蜂蜜《はちみつ》色というのにも殿下のこだわりが表れているように感じられる」

グレーテルとヘンゼルはそれぞれにレナーテを讃《たた》える言葉を口にしてくれたが、レナーテの耳にはほとんど入ってこなかった。

髪はまだ薄紅《うすべに》色、瞳も黄金のままだ。

彼は『晩餐会の直前まで本来のレナーテの姿を惜しみ、目に焼きつけておくため』に当日までレナーテに青の魔法をかけないと言っていた。だが、それにしても遅い。晩餐会がおこなわれる広間にはもう、徐々に人が集まりはじめていることだろう。

（……メルは本当に、あの小鳥にお願いしてくれたのかしら）

小さな疑念が浮かんでは消える。メルヒオールが教えてくれないならば小鳥に訊《き》くしかないが、今はあの小鳥さえもメルヒオールのもとにいる。

憂鬱《ゆううつ》なため息をついたとき、部屋の扉の向こうからぴゅーんという音がした。

あの小鳥が飛ぶときの音だった。幻聴かと思いつつもレナーテが控室の扉を細く開けてみると、青い鳥がレナーテの顔の横をかすめて飛びこんできた。

「やっと来てくれたのね……！」

レナーテは小鳥を抱きしめようとしたが、かわされた。小鳥はテーブルに置かれていた菓子皿の横に着地すると、ヘンゼルとグレーテルに混ざってレープクーヘンを嘴《くちばし》でつつきはじめた。もぐもぐと咀嚼《そしゃく》しながら、小鳥は面倒くさそうにレナーテを見る。

『あ？　やっと来てくれたって、なんのことだ？　俺はここに来ればなんかうまいもんでも食えるはずだと思って王子にくっついてきただけだし～』

「それなら、メルももうすぐここに来るの？」

『知らね。なんかこの城の温室で用事を済ませたら行くとか言ってたけどよ』

小鳥はすっかり菓子を食べ終えてしまうと、羽で嘴を拭《ふ》いた。それからまたぴゅーんと飛翔して、ポインセチアが飾られた窓際《まどぎわ》にとまる。

『おい王子妃。ちょっと窓開けてくれ』

自分で窓を開けることが到底できなさそうな小鳥の要求に、レナーテは素直に従った。

両開きの扉を少し開けると、吹き込んできた冬の夜風が頬《ほお》にしみた。

横から羽で腕をつつかれてレナーテがそちらを見ると、小鳥が片方の羽をこちらに向かって差し出していた。

「なに？」

『握手だよ、握手！』

どうやって握手すればよいのかわからなかったが、レナーテは黙って小鳥の羽をつまんだ。

『俺さ、自分の恩人は王子だからってあんたには結構やな態度とかとっちまったけど、ごめんな。ほんとはあの雪の中俺を拾ってくれたこと、感謝してんだ』

「突然、どうしたの」

『いや最後ぐれぇはちゃんと礼を言わなきゃダメかなと思ってさ。ありがとな、王子妃！』

「最後？」

きょとんとしたレナーテに、小鳥は、さらりととんでもないことを言った。

『おう。もう王子に恩返ししてあいつの希望のもんを青くしたし、俺、森に帰るわ』

レナーテはつかのま言葉を失ってから、大きな瞳をさらに見ひらいた。

「お、恩返し、した……？」

『おうよ、ばっちり青くしてやったぜ！』

「なにを？　どこを？」

レナーテは度を失い、小鳥をつい強く握りしめてしまった。

『ぐえぇ。こらっ、離せ！』

小鳥が白目をむいたので、レナーテはハッと気がついて小鳥を解放した。

「ごめんなさい。でも、見て。わたしの髪も目の色も、少しも青くなってない」

『そりゃあ、あんた当然だろ。だって王子が青くしてほしいって俺に望んできたのは～、あんたの髪だとか目の色じゃねぇし～？』

小鳥はわざとらしく人の神経を逆なでするような口調で言ったが、レナーテはもう小鳥に摑《つか》みかかる気力もなくして、ふらりとよろめいた。

壁を支えにしてなんとか踏みとどまると、レナーテは血の気《け》が引いた顔で訊ねた。

「だったら……いったい……あなたは何を青くしたの……」

『それはな……』

小鳥はレナーテの肩にとまった。

そして神妙な顔で耳元に嘴を寄せてきたかと思うと、

『言～わな～い！　じゃあな、あばよ、達者でな！』

おちゃらけた声で言い放ち、レナーテがとめる間もなく窓の隙間《すきま》をすり抜けると、今度こそ本当に夜空の彼方《かなた》に見えなくなってしまった。

レナーテは柔らかな白い絨毯《じゅうたん》の上にへたりこんだ。

「レナ様！」

グレーテルが立ち上がり、ヘンゼルとともにレナーテのもとに駆け寄ってくる。

(なんてことだろう)

メルヒオールが精霊に頼んで青くしてもらったのは、自分の髪と目ではなかった。それ以外の何かを、自分のあずかり知らぬところで青色に変えてしまったのだ。

恩を返した小鳥はおそらくもう、戻ってくることはないだろう……。

「レナ様、ご気分がお悪いのですか？」

「それに、今の青い小鳥はいったい？」

グレーテルはおろおろとした様子で、ヘンゼルは怪訝《けげん》そうな顔をしてレナーテの傍《そば》に膝《ひざ》をつく。だが、もっとも混乱しているのはレナーテ自身だった。

冷静にならなければと額《ひたい》を押さえたとき、控室の扉があいた。

びくりとしてそちらを振り向くと、正装したメルヒオールが立っていた。

ブラウスに銀のピンを留めたアスコットタイを締め、黒のジレにパンタロン、装飾ボタンをあしらったフロックコートを纏《まと》っている。

「到着が遅れてしまい申し訳ありません。大学で鑑定結果の証明書を発行するのに手間取ってしまったもので」

彼はレナーテのほうに歩み寄ってくると、絹の手袋に覆われた手を差しのべてきた。

「何故《なぜ》そんなところに座りこんでいるのですか。さっそくですが、参りましょう。もう皆さん会場にお集まりです」

レナーテは彼の手をとらず、膝を絨毯につけたまま彼を見あげた。

「どういうことなの、メル」

できるだけ冷静であろうとつとめたが、発した声は、小刻みにわなないていた。

「何故、あの小鳥にわたしの髪と目を青くしてもらわなかったの」

メルヒオールは感情がうかがえない、深い緑の目にレナーテの姿を映した。

「事情を説明している時間はありません。もうあちらで両親も待っているんです」

まもなく晩餐会の刻限になることはレナーテも理解していた。だが、レナーテの動揺は鎮《しず》まらなかった。彼は自分に隠しごとをしている。

何を隠しているのか、何故隠すのか、何もわからない。

彼が城を長く空《あ》ける前に、寝室に残していった手紙の内容をレナーテは思い出していた。

「『とりかえしがつかない』というのは、このことだったのね。……わたし、あの夜の会話を憶えている。あなたは晩餐会までに青くすると言ったけれど、何をとは言わなかった。あなたは確かに嘘《うそ》をつかなかったけれど、その代わり、わたしが誤解していることに、きっと気づいていながらも本当のことを教えてくれなかった。だったらそれは、嘘つきと一緒だわ」

感情が昂《たか》ぶりはじめたせいか、急速に、瞼《まぶた》の裏が焼けつくように熱くなった。

「愛って、お互いを信じあうことではないの？　メルはわたしに、この件については全面的に任《まか》せてほしいと言った。でも、あなたが明かしてくれないことがある限り、わたしはあなたを信用できない」

メルヒオールは表情に変化を見せず、黙ってレナーテの言葉に耳を傾けていた。

夫婦の間に鉛《なまり》のように冷たく重たい空気が流れる。ヘンゼルは無表情で、グレーテルはおろおろしながら部屋の隅でふたりのやりとりを見守っていた。

沈黙に終止符を打ったのはメルヒオールだった。彼は上着の内側から絹のハンカチを取り出すと、身体を屈《かが》め、レナーテの目元に光る雫《しずく》を丁寧《ていねい》にぬぐった。

「君は今から堂々と人の前に立たなければならない。泣くのも怒るのもあとにしてください」

……この髪、目の色で、堂々となどできるわけがない。

こんなことになるならば、彼に永遠の嘘つきと言われようと、カレンデュラの城に監禁されようと、髪を染め、目に色硝子《いろガラス》を装着することを断行してしまえばよかった。

けれどもう遅い。

もうおしまいだ。

彼はきっと魔女を妃《きさき》に迎えた不名誉な王子として、後世まで語り継がれてしまうだろう。

頬に触れようとした彼の手を、レナーテは振り払った。

「メルの言うことなんか、もう聞きたくない。……あなたなんか……」

嫌い、と口にした直後、レナーテは自分の前に跪《ひざまず》いた彼に、頭をぐいと引き寄せられた。

彼はレナーテの頬に顔を寄せると、その耳元で囁いた。

「この晩餐会が終わったら、僕を殺しても構いません」

過激で極端すぎる彼の言葉に、レナーテは目を見ひらいた。涙は驚きのあまりぴたりととまってしまった。

彼はレナーテの顔を覗《のぞ》きこんでそれを確かめると、うっすらと微笑《ほほえ》んだ。

「やっと泣きやんでくださいましたね。さあ、お手をどうぞ」

先に立ち上がった彼が、レナーテに再び手を差し出してくる。

手をとれば、いよいよ晩餐会からは逃げられなくなるように思われて、レナーテは躊躇《ちゅうちょ》した。

身動きもできず、ただ不信の目で夫を見つめていると、彼は笑みを消して嘆息《たんそく》した。

「君が僕の手をとってくださらなければ、僕は世間から、妃に嫌われている王子という烙印《らくいん》を押されます。君は僕に恥をかかせたくなかったのでは？」

恥をかかせたくないから手をとれないのに。

レナーテが押し黙っていると、メルヒオールの瞳から、すっと光が消えた。

「手をとりなさい、レナ」

要求が命令に変わる。

レナーテは膝の上に置いていた手を持ち上げると、緩慢《かんまん》な動きで彼の手のひらに自分の手をかさねた。彼が憧《あこが》れの天才博物学者――一国の王子――あるいは夫であるから命令に従ったのではない。カレンデュラの城で生活をともにするうちに、レナーテは彼に、彼の十八歳という年相応の若さ――というよりも、子供らしさや弱さが、ときおり見え隠れするのを知っていた。彼がレナーテに命《めい》を下すのは、焦燥《しょうそう》に駆られているか、不安に陥《おちい》っているときなのだ。

レナーテは今の彼に不信感を抱いてはいたが、温かなその手を撥《は》ねつけることもできず、彼に促《うなが》されるようにして立ち上がった。


靴の踵《かかと》の音が響く冷たい大理石の廊下を、メルヒオールに導かれながら歩く。

長く続く壁には燭台《しょくだい》が等間隔に設置されており、暁《あかつき》に差すような黄金の光で闇《やみ》を払っていた。アーチ型の天井《てんじょう》は純白で、見上げるほど高く、鳥の姿をした聖霊や、百合《ゆり》の花の精緻《せいち》な彫刻が施されている。

城は静まりかえっており、すれ違う者もなかった。メルヒオールとの間に会話はない。こんなとき、ヘンゼルとグレーテルがいてくれたら気まずい思いもせずに済んだのだろうが、招待されているのは彼と自分だけだ。彼女たちを同伴することはできなかった。

メルヒオールが何を考えているのかわからないまま、やがて彼は自分の背丈《せたけ》よりも大きな扉の前で足をとめた。

そのとき、ただ重ねていただけの手をやおら強く握られて、レナーテは息を呑《の》んだ。メルヒオールはレナーテと無言で視線を交わしたのち、装飾的な銀のドアハンドルを引いた。

レナーテは思わず目を閉じる。頭の中に、ダイヤモンドのように輝く大きなシャンデリア、銀器が並べられた長いテーブル、老若男女、華々しく着飾った大勢の貴族たちの姿が浮かび、足が竦《すく》んだ。だが怖気《おじけ》づいている暇《ひま》も与えられず、レナーテは夫にぐいと手を引かれた。

足元ばかりを見つめながら、彼に続いて室内に足を踏み入れる。

しかし数歩も歩かないうちにレナーテは違和感を覚え、そっと顔を上げた。

直後、レナーテは目を見ひらいた。メルヒオールに連れてこられたのは晩餐会がおこなわれるような広間ではなく、劇場のような場所だったのだ。

しかも自分たちは、ざっと見ただけでも百余数はあろうかという観客席の前を、教壇のように一段高くなった場所に向かって歩いている。

紅玉色の座席を埋め尽くした人々は、その影でかろうじて女性か男性かという区別はついたが、それぞれの表情はこちら側からあたる強い逆光のせいでよくわからなかった。

レナーテにはそれが唯一《ゆいいつ》の救いだった。きっとみな、実の父のローゼンベルグ子爵《ししやく》のように、そして初めて自分に求婚してきたマリオンのように、忌《い》まわしいものでも見るような目で自分を見ているに違いないからだ。違いないにしても、その光景をただ想像するのと実際にまのあたりにするのとでは、精神的な負担の重さが違った。

講堂内は厳粛《げんしゆく》な空気に満ちていた。

これだけ人がいるのに、囁《ささや》き声ひとつしない。

メルヒオールは壇上に向かって歩きながら、レナーテの耳元で囁いた。

「あれが国王と王妃です」

反対側の壁の突きあたり。明らかに他の椅子《いす》と造りが違うふたつの貴賓席《きひんせき》には、四十を目前にしたような年代の男女が並んで座っていた。レナーテは、突然、国王夫妻に謁見《えつけん》する運びとなったことに動揺したが、絶対に粗相《そそう》があってはならず、深く息を吸って気を鎮めた。

メルヒオールの両親であるその人たちは壁を背にしているために、レナーテは彼らの姿をはっきりと認識できた。王妃は真珠を控えめにあしらったアメジスト色のドレスを纏《まと》っていた。頭には輝く透明の宝石をちりばめたティアラを載《の》せ、雲母《きらら》のように透き通った、薄紫のヴェールを顔の後ろに長く垂らしている。その髪は黒檀《こくたん》のように艶《つや》のある黒で、瞳は澄みきって明るいエメラルド。氷の人形のように整った顔立ちも、蒼いほどに白い肌も、メルヒオールとまるで同じだった。そしてやはり彼と同じ、感情の読みとりにくい目でレナーテを見ている。

国王は白と黄金を基調とした衣装に深い青のマント、日輪のように輝く黄金の王冠をかぶっていた。白銀の髪と青灰色《せいかいしょく》の瞳は美しく神秘的ではあったが、レナーテは王が恐ろしく、視界の端にとどめるのが精いっぱいだった。ゆきすぎたほど敬虔《けいけん》な信徒で、かつて幼いメルヒオールを酷《むご》い方法で異端審問にかけた人……。

恐怖とも怒りともつかない感情で、指先が震える。するとそれが伝わったのか、手を握っていたメルヒオールがわずかに力を籠《こ》めてきた。

レナーテの胸に微熱が宿る。彼の考えていることがわからない。自分に相談もせずに何か行動を起こそうとしていることに反発心を覚えてもいた。それでも彼の優しさと温《ぬく》もりだけは疑いようもないことで、レナーテはこんなときなのに、緊張がほどけていくのを感じていた。

彼が隣にいることを支えに、もう一度ゆっくりと顔を上げる。すると先程は国王と王妃の威《い》光《こう》の陰に隠れてしまっていて視界に入らなかったが、少し離れた位置に、頭に申し訳程度に白髪の生えた、学者風の老紳士がいるのを認めた。

けれどもうひとり、ここにいるべきはずの青年の姿はなかった。メルヒオールのふたごの兄、アルフォンスだ。再び相まみえたい人ではなかったが、国王と王妃でさえ列席しているならば王太子の彼も当然いるのだとばかり思っていた。

レナーテの視線が誰かを探すようにさまよっていることに気がついたのか、メルヒオールがまた耳打ちしてきた。

「兄は諸事情によりこの発表会も晩餐会も欠席だそうですよ。……まあ先日のことがありますから、当然ですよね」

「……発表会って何？　これのこと？」

またはぐらかされてしまうのだろうかと、レナーテはなかば諦《あきら》めた心境で訊ねた。

ところが、彼の反応はこれまでと違った。

「今からご説明致します。すべて」

メルヒオールはレナーテの手をエスコートするようにそっととるというよりは、しっかりと握りしめて、教壇に上った。教壇の中央の前には木製の演台が置かれている。メルヒオールに手を引かれるままに教壇の上を進みながら、レナーテは演台の上に置かれた一輪ざしの花瓶《かびん》を何気《なにげ》なく見た。瞬間、声をあげそうになったのをレナーテは寸前で呑みこんだ。

脚光を浴びた演台で、硝子《ガラス》の一輪ざしに生けられていたのは一本の青薔薇だった。

青紫や緑青ではない。瑠璃《るり》のように真っ青な花片が幾重《いくえ》にもなった薔薇だったのである。

「……君は女神です。今夜からはもう誰も、君を魔女だなどとは呼ばない」

演台の前に立ったメルヒオールが、レナーテにしか聞こえないような小声で呟いた。

（……まさか……）

レナーテはメルヒオールの顔から青薔薇へと、視線を転じた。

白い薔薇を染めた青薔薇なら生花店で幾度も見かけたことがある。紅薔薇でも、黄薔薇でも、どれほど自然な色に染められていようとも、薔薇の専門家であるレナーテには、人工的に染められた薔薇とそうではない薔薇の区別はすぐにつく。

(青い薔薇などこの世には存在しないはず。けれど、これは……)

加工されている薔薇に特有の不自然さがひとつも見あたらない。

レナーテの頭の中で、一気に様々なことが繋《つな》がった。

——彼が温室で呟いたこと。彼の聖典の解釈の話は、自分には少し難しかった。

『青薔薇を生み出したとき、君は可憐《かれん》で聡明《そうめい》な女性から、女神に生まれ変わるのでしょうね』

——そして彼が王立大学に籠もってしまう前の晩。彼はいつになく歯切れ悪く言った。

『君も望むように、精霊の力を少し借りるんです。あの精霊の提案をそのまま受けるわけではありませんが、とにかく……、そう、とにかく青くします』

——その翌朝、彼によって温室から大量に持ち出されたレナーテの薔薇。なくなっていたのは、白い薔薇ばかりだった。

さらに——先程レナーテを凍りつかせた、青い小鳥のせりふ。

『もう王子に恩返ししてあいつの希望のもんを青くしたし、俺、森に帰るわ』

レナーテは、もういちどメルヒオールの横顔を見上げた。

けれど彼の視線はすでに客席のほうに向けられている。

(……メルが小鳥の精霊に青くしてもらったのは——)

……薔薇……。

(でも、まさかそんな、だいそれたこと)

いや……、だいそれたことをしてしまうのが彼なのだった。

動揺するレナーテの横で、メルヒオールは講堂に響く、よく通る声で話しはじめた。

「改めまして、本日は僕の花嫁披露《ひろう》の席にご足労いただきまして誠にありがとうございます」

……改めまして?

「先刻は温室にて僕の花嫁に先がけて、国王陛下《へいか》、王妃殿下、ならびにこちらにお集まりの皆様方に青薔薇をご覧いただきましたが、どなた様にも大変ご満足いただけたようで恐悦至極《きょうえつしごく》に存じます。なにしろこの青薔薇は——」

彼は一輪ざしから青薔薇を手にとると、聴衆に見えるように、胸の高さまで掲《かか》げた。

「ここにいる薔薇の品種改良の天才である僕の妻、レナーテ・プリングスハイムと、しがない一博物学者にすぎない僕が共同で研究し、生み出すことに成功した奇跡の青薔薇……いわば愛の結晶なのですから」

彼が堂々とそう言い放った瞬間、講堂内から大きな拍手《はくしゅ》が沸《わ》き起こった。

(え、……え?)

彼は王立大学からレナーテの控室に来る前に、薔薇のお披露目会などしていたらしい。

そんなことはもちろん初耳だったし、

「共同研究なんかしていない」

　思わず言いかけたレナーテの口を、メルヒオールは薔薇を手にしていないほうの手で素早く塞いだ。そして会場が拍手の音に呑まれているのを良いことに、彼は普段通りの声量でレナーテに言った。

「僕が大学に籠もる前。君と最後に過ごしたあの夜……今日のことに関しては全面的に僕に任せてほしいと申し上げたら、君は『わかった、信じる』と確かにおっしゃいましたよね」

「い、言ったわ。言ったけれど、こんな——」

　拍手が徐々に収まってきたので、レナーテは口を閉じた。しかし頭の中はもはや彼がついたとんでもない大嘘のことでいっぱいになっていた。

（青薔薇を生み出すことは、今まで誰もなしえなかったこと。画期的なことだわ。……でも、白薔薇を青薔薇に変えたのは本当は精霊の魔法の力。こんなの、王立大学のような専門機関にかけてしまえば、すぐにまがいものの青薔薇だということが判明してしまうはず……）

　メルは……なんてことをしてしまったのだろう。

　顔面蒼白《そうはく》で思索《しさく》の沼に沈んだレナーテの横で、彼は何食わぬ顔で演説を進める。

「これが偽物《にせもの》の青薔薇などではなく、妻と僕が、月草と薔薇という植物間の異種交配を成功させ、薔薇の花弁に青色色素を定着させた本物の青薔薇であることは、シュトロイゼル王立大学の名誉教授にして博物学の権威であらせられるバスティアン・デ・ソルド博士が証明してくださいます。……博士、どうぞ壇上にお上がりください」

メルヒオールの視線の先には、レナーテが先程目にした白髪の老紳士がいた。

知的なまなざしと黒縁《くろぶち》の眼鏡《めがね》、品のよい装《よそお》いに身を包んだバスティアン博士は書類を持って席を立ち、国王夫妻に丁寧《ていねい》に一礼したあとで壇上に上った。

メルヒオールは場所を譲り、レナーテの手を引いて演台から身を引いた。

「ご紹介にあずかりましたバスティアン・デ・ソルドと申します。このメルが——いえ失礼、メルヒオール殿下が青薔薇などというとんでもないものを研究室に持ち込んだときは私も目を疑いましたよ。むろん、はじめは冗談かなにかだと思いました。年寄りと侮《あなど》ってこの私を馬鹿にしているのではなかろうかと考えましてね。メルヒオール殿下は確かに天才ではあるが、亀の甲より年の甲、この私に勝とうなどとは千年早……」

「博士、お話が脱線していらっしゃいますよ。どうか簡潔にお願い致します」

メルヒオールが笑顔で言うと、バスティアン博士は「うぉっほん」と咳払《せきばら》いをし、気をとり直したように、再び聴衆に向き直った。

「皆様、これは失礼致しました。短気でせっかちな殿下のおっしゃる通り簡潔に申し上げたいと存じます。この青薔薇は本物です。我らが誇る博物学研究室の学生、名誉博士らが総出となり、この一週間を費やして殿下とその奥様の愛の結晶であるところの青薔薇を徹底的に調べ上げましたところ、確かにこの青薔薇の花弁から月草と同じ類《たぐい》の青色素が検出されました。

すなわちアルミニウム、鉄、マグネシウムなどの貴金属などが緻密《ちみつ》かつ複雑に合わさった、超分子構造の青色色素ですな」

バスティアン博士は演台の上に置いた羊皮紙《ようひし》の束を一枚ずつ広げてみせた。

「こちらがその仔細《しさい》な観察記録に有機化合物の構造式、及び奇跡の青薔薇の花弁をカメラ・オブスクラに投影して拡大し、トレースした図です。これらをご覧いただければ少なくともこの青薔薇が科学的かつ自然に生まれ出た薔薇であるということは納得していただけると思います……。で、もっとも肝心《かんじん》な異種交配に関する論文は書き上がったのかね、メル」

するとメルヒオールは澄ました顔をして返した。

「何をおっしゃっているのですか。僕は論文の発表なんかしませんよ」

レナーテは驚愕《きょうがく》してメルヒオールを見つめた。魔法の力ではあるが――青薔薇から実際に青色色素が検出されたことで、彼が科学的に青薔薇を生み出したのを証明することはできたかもしれない。だが、そこに至る過程でもっとも重要な『月草と薔薇の異種交配の方法』については明かさないと彼は言っているのだ。

講堂内がざわつく。この展開はバスティアン博士も予想外だったらしく、ずり落ちた眼鏡の奥で見ひらいた目にメルヒオールの姿を映しながら、口をパクパクさせていた。

「妻と僕、ふたりだけの秘密にしておきたいので。妻には呆《あき》れられてしまいましたけれどね」

メルヒオールは作ったような微苦笑を浮かべながらちらりとレナーテを見る。

ふたりだけの秘密も何もないだろう。メルヒオールは月草と薔薇の異種交配など実際にはおこなっていないのだから、書かないのではなく、論文など書けるはずがないのだ。

講堂内に人々の困惑《こんわく》と疑念が漂いはじめたとき、メルヒオールは国王と王妃のほうに目をやった。

「その代わり、僕の賢く美しい妻レナーテが作り出した青薔薇は、ひとつも余すことなくすべてシュトロイゼル王国に寄贈致します。青薔薇は王宮の温室に咲き誇るものと、僕がいま手にしている一輪を除いてはまだこの世界のどこにも存在しない。挿《さ》し木して増やし、国外に輸出すれば、青薔薇は我が国の国庫を確実に潤《うるお》してくれるでしょうね」

さらにメルヒオールは、微笑《ほほえ》んで続けた。

「……陛下。神の教義によれば、自然界の頂点に君臨し、神のごとく自然を支配することが人の証《あかし》だといいます。魔女は自然と共存しようとするものですが、ここにいるレナーテは科学的知識をもって、これまで自然界にはなかった青薔薇をついに生み出すことに成功しました。

……この国には紅い髪に黄金《きん》の目を持つ女性は魔女だなどというくだらない俗信がありますが、レナーテは美しい青薔薇を清らかなその手によって生み出したことで、迷信がまったくの誤りであることをみずから証明してみせました。彼女は完全に自然を支配したのです。月草と薔薇という相容《あいい》れない植物を交配させるという、創造の女神のような偉業をもってしてね」

国王は黙って耳を傾けていたが、メルヒオールが最後まで言い終えた途端、急に嘲笑《あざわら》うかの

ように言葉を発した。

「私は王位継承権のないお前がどんな娘を妻にしようと構わない。だが紅い髪に黄金の瞳を持つ娘は例外なく魔女であるという聖典の記述を覆《くつがえ》すことはできない。メルヒオール、お前は詭《き》弁《べん》を弄《ろう》しているだけだ。聖典をお前の都合の良いように解釈しているだけではないか」

王の青灰色の目の冷たい視線から守るように、メルヒオールはさりげなくレナーテを背に庇《かば》った。

「それではどうぞ反論なさってください。陛下が僕の解釈を否定すればするほど、聖典の穴やほころびがより明確に浮き彫りにされていくだけだと思いますけれどね」

国王は口を閉ざした。反論すべき言葉が見つからないのか、あるいはメルヒオールとここで議論したところで、平行線をたどる一方だと判断したのかもしれない。

講堂内が静寂《せいじゃく》で満たされる。目の前で国王と第二王子が口論しても、集まった貴族たちは動じた様子もなく、聞こえないふりにつとめている。

「……あなた」

国王にそっと声をかけたのは、その傍《かたわ》らに座る王妃だった。

「わたくしは、聖典について深く言及するつもりはございません。けれどメルヒオールの言う通り、わたくしにはレナーテが魔女だなどとはとても思えないのです」

王妃はエメラルド色の静かな瞳でレナーテを見つめた。

「陛下も先刻、温室で大輪の青薔薇をわたくしとともにご覧になったではありませんか。邪《よこしま》な魔女にあれほどに美しい青薔薇を生み出すことができるでしょうか。薔薇は聖母の象徴とされる花でもあります。わたくしたちは、かつて罪もない、幼いメルヒオールの身体《からだ》に消えない傷をつけ、彼の心を凍らせてしまうという罪を犯《おか》しました」

「異端審問のことを言っているのであれば、私がおこなったことだ。お前は関係ないだろう。私は一国の王として当然のことをしたまでだというのに、お前はいつまで感傷に浸《ひた》り、息子を哀《あわ》れむ母である自分に酔いしれているつもりだ」

国王はすげなく返したが、王妃は控えめながらも凜然《りんぜん》とした態度を崩さなかった。

「わたくしがお慕《した》いするあなたがなさったことは、わたくしのおこないでもあります。それに、わたくしは自分に酔いしれてなどおりません。なぜならもう母として、メルヒオールのために涙を流す資格もないのですから。……わたくしは、メルヒオールはもう誰も愛することができないのではないかと、常に考えておりました。けれどメルヒオールはレナーテを愛しました。あの子が……レナーテが凍《い》てついたメルヒオールの心を母のように抱きしめ、優しく溶かしてくださったなら、レナーテはやはり女神なのです。メルヒオールを救うことで、わたくし自身の心をも救ってくれたのですから」

なにより……、と王妃は国王に向かって淡く微笑みかけた。

「メルヒオールの言う通り、あの子たちが育《はぐく》んだ青薔薇は、いずれかならずやわが国に恩恵をもたらしてくれることでしょう。……あなたも、そうはお思いになりませんか」

王妃の言葉は国王のみならず、講堂に集まったすべての貴族たちに向けられたもののように静かに反響した。

国王は長い沈黙を経《へ》たのち、ふんと不機嫌《ふきげん》そうに鼻を鳴らした。

「私が首を縦《たて》に振れば、お前は母親らしいことができたと満足するのか」

「ええ、あなた」

王妃が明るい緑の瞳を細めて笑うと、国王は顔をそむけた。

「ならばせいぜい満足するまで母親らしくしていろ」

それから無機質な青灰色の目を、メルヒオールに向ける。

「だが私はもはやメルヒオールを息子とは思っていない。これまでにも散々わけのわからない論説で神を冒瀆《ぼうとく》してきたのだからな。勝手に女神とでも鄙《ひな》びた娘とでもつがえばよい」

「レナは鄙びた娘ではなく女神ですよ、陛下」

メルヒオールは訂正したあとで、薄い笑みを浮かべた。

「そして僕もあなたを父とは思っていません。せいぜいあなたの一人息子の王太子殿下を大切にしてさしあげればよろしい」

父子が睨《にら》みあいをはじめると、王妃は黙って椅子から立ち上がり、みずからレナーテのほうへと歩み寄ってきた。

「レナーテ。あなたのように聡明で可憐な女性を娘にできたことを誇りに思います」

「……もったいないお言葉を。王妃様」

王妃に躊躇《ちゅうちょ》なく両手を握られてレナーテが紅くなっていると、王妃はレナーテの耳元に艶《つや》やかな唇を寄せ、ごく小さな声で囁《ささや》いた。

「レナーテ、ありがとう。……夫を恐れ、服従するばかりでメルヒオールを顧《かえり》みもしなかったわたくしの代わりに、あの子に……メルに、愛を与えてくれて」

レナーテから身を引いたとき、王妃は微笑みながらもエメラルドの瞳に露《つゆ》をたたえていた。

それからレナーテに背を向けると、国王に進言した。

「あなた、青薔薇の発表会も、ちょっとした余興も無事に済んだことですし、そろそろ皆様を広間の晩餐の席にご案内致しませんか？」

おっとりした王妃の一言が、講堂に張りつめていた空気を和《なご》やかにする。

気が抜けて足から崩れ落ちそうになったレナーテを、メルヒオールがすぐに気づいて抱きとめた。

「……レナ。緊張が続いたので疲れてしまったんですね。晩餐会はお断りして、僕たちはもうおいとましましょうか。今日の君はもう充分、頑張りました」

小声で気遣《きづか》うように彼は提案してきたが、レナーテは首を横に振った。

「せっかく両陛下からお招きされたのだから、出席するわ。王子妃としてのおつとめを果たしたいの」

「それならばそれで構わないのですが……」

メルヒオールは浮かない様子で言い添えた。

「青薔薇の所有権は国に譲ってしまいましたが、国母《こくも》である母からも女神と称されてしまった君は、君が生み出した清らかな薔薇を求める多くの貴族や令嬢から声をかけられると思いますよ。もしも僕が君から目を離した一瞬の隙に身の程知らずの男に何か話しかけられた場合は、相手が子供でも老人でも容赦《ようしゃ》なく聞こえないふりをしなさい。いいですね」

「ええ」とレナーテは適当に相槌《あいづち》を打ってから、小さく微笑んだ。

「メルは陛下のことは国王とか陛下と呼ぶけれど、王妃様のことは母と呼ぶのね。良かった」

「何が良いのかわかりませんが、君が喜んでくださるなら母とでもなんとでもお呼びします」

Ⅳ

王都からカレンデュラの城へ戻った翌朝。

レナーテはメルヒオールとともに城の中庭をゆるやかな歩調で歩いていた。

空は雪消《ゆきげ》の水に天青石《てんせいせき》を溶かしたような透んだ青で、地面には白雪がうっすらと積もっている。枝の梢《こずえ》に残る雪や、常緑の葉に結んだ露《つゆ》は、昇りそめたばかりの朝日を受けて真珠か水晶のように輝いている。

よく晴れた日は互いに仕事にとりかかる前に、こうして朝の庭を散策するのが日課となっていた。レナーテははじめは気恥ずかしくて少し離れて歩くけれど、気がつけばいつも、どちらからともなく手を繋《つな》いでいた。

レナーテは朝のこの短いひとときが好きだった。

彼と他愛《たわい》のない言葉をかわすことが楽しい。

ふと会話が途切れた瞬間の、穏やかな沈黙ですら愛《いと》おしい。

とはいえ樹木医であり、薔薇《ばら》の品種改良でも生計を立ててきたレナーテは、メルヒオールと過ごしているときも無意識のうちに植物に対して注意を払っていた。

だからレナーテは雪間《ゆきま》に咲く花を発見すると、急に足をとめた。

「メル、スノードロップが咲いている。昨日はまだつぼみだったのに」

レナーテはメルヒオールの袖《そで》を引き、彼を巻き添えにしてその場に屈《かが》みこんだ。

「君はスノードロップのこんな話を知っていますか」

「なに？」

レナーテが首を傾《かし》げると、彼は花を瞳《ひとみ》に映して言った。

「創世記、神が初めにお造りになった恋人たちが罪を犯《おか》して楽園から追放されたとき、冷たい雪が降りはじめました。困っている彼らの前に、そのとき天使が現れて、触れた雪片《せっぺん》がスノードロップの花に姿を変えたのだとか。絶望の底にあった彼らはスノードロップを見て、長い冬にもかならず終わりが来ることを知り、心を救われたのだそうです」

「……そうなの？」

レナーテは、まばたきも忘れて彼の横顔を見つめた。

話の内容そのものに驚愕《きょうがく》したのではない。精霊たちに囲まれた生活を送っているわりには、聖典や神話といった非科学的な話を嫌う彼がそんなことを言い出すとは思わなかったのだ。

（てっきり、スノードロップの根には薬効があって吐剤《とざい》として用いられるとか、そういうことを話しはじめるのだと思ったわ）

けれどよくよく考えてみれば、メルヒオールがレナーテに植物学を教授することはほとんどなかった。彼はレナーテをひとりの対等な植物学者として認めてくれているからだ。

「そうです。ですから、スノードロップの花言葉は、『逆境の中での愛情』、あるいは『悲しみの中に浮かぶ希望』」

「………………」

「僕にとって、君は真っ白なスノードロップの花そのものです。優しく、純粋な君と出会えたから、僕はいまこれほど幸福に満たされている。王都の城で暮らしていた頃は、自分にこんな安らかな日々が訪れるとは思ってもいませんでした」

「スノードロップはあなたのほうよ、メル」

レナーテは照れて紅《あか》くなりつつも、すぐさまそう言った。

「……メルは、どうしてわたしが言おうと思っていたことを先に言うの？」

「先に言った者勝ちだからです。どんな研究もそうでしょう。先に発見した者勝ちです」

「それなら、もうひとつ訊《き》いてもいい？」

「どうぞ」

「メルは、どうしてわたしに黙ってあんなことをしたの？」

あんなこと、というのは言うまでもなく、彼が自分に断りもなく精霊の魔法で青薔薇を作りだしてしまったこと。そしてそれが自分たちの研究によって生み出されたものであると、国王や国の重鎮《じゅうちん》たちを前にとんでもない大嘘《おおうそ》をついたことだ。

彼は王立大学からの証書も提示して、あの場にいた人々を完璧に騙《だま》した。

そして国家に青薔薇を譲渡するのと引き換えに、月草と薔薇の異種交配の方法を公表しないことの許しも得た。

そのずる賢さと手回しの良さはある意味では尊敬に値《あたい》する。

またレナーテは彼の嘘によって、魔女という烙印《らくいん》から解放されもした。レナーテは晩餐《ばんさん》の席で肩身の狭い思いをすることを覚悟していたが、それは完全なる杞憂《きゆう》に終わったのだ。

広間に入ったとたん、『女神の薔薇』に興味を示した令嬢や貴夫人たちにあっというまに囲まれてしまい、薔薇の注文が殺到した。レナーテは萎縮《いしゅく》しつつもそれを請《う》け負《お》うことになったが、戸惑《とまど》ったのはそればかりではなかった。

レナーテは同じ歳《とし》くらいの可憐《かれん》な伯爵《はくしやく》令嬢や美しい公爵《こうしやく》夫人、はたまた裕福な銀行家の令嬢などに『薔薇色の髪をしているなんて羨《うらや》ましい』と無邪気に称賛《しょうさん》され、薄紅色《うすべにいろ》の髪をさんざん撫《な》でまわされたのだ。その前の晩までは、実の父親にさえ疎《うと》まれる髪だったのに。

アンネマリーや、ミルヒ村の住人以外の女性からなんの躊躇《ためら》いもなく触れられるのはとても嬉《うれ》しかったし、心地良かった。

けれど、誰からも普通の少女と同じように扱われる幸せは、嘘と引き換えに手に入れたものだ。それが昨夜からずっと、レナーテの胸に、罪悪感という薄墨色《うすずみいろ》の影を落としていた。

なぜ自分に黙って彼はあんな計画を実行してしまったのか。

メルヒオールはレナーテの質問に対して、少し考えてから回答した。

「君が薔薇の品種改良に誇りを持って取り組んでいるからです。君は髪を染め、目に色硝子《いろガラス》を嵌《は》めて容姿を偽《いつわ》り、人々を欺《あざむ》くことはできたとしても、ご自分が魂《たましい》を捧《ささ》げている仕事に関わる嘘だけは、絶対につかない。そういう人だと思ったんです、君は」

彼の言うことは的《まと》を射《い》ていたので、レナーテは首肯《しゅこう》した。

「ですから、あの計画を話せばきっと反対されると思って、言えなかったんです」

「もしもわたしが反対したら、やめたの？」

「いいえ」と彼は言った。

「嘘も本当にしてしまえば真実になる、と説得するつもりでした。君は前におっしゃいましたよね。自分にならいつか青薔薇を生み出せる自信があると。……君の才能を見込んでいる僕も同感でした。僕は、君と僕が組めば、本当に青薔薇が生み出せるという確信があったんです。もちろん今も」

「でも、わたし……」

レナーテは彼に手を引かれて立ち上がりながら、声をかすかに震わせた。

「怖かったの」

「わかっています。申し訳ありません」

「違うわ。前から言っているじゃない。わたしが恐ろしかったのは、あなたが、紅い髪をしたわたしのせいで、あの場にいた人たちに侮《あなど》られていたかもしれないということ」

結果的にはそんな事態にはならなかったこと、そしてカレンデュラの城に帰ってきたという安心感で気が緩《ゆる》んでしまい、レナーテはまたひとしずくの涙を零《こぼ》してしまった。

「……君は、人の心配ばかりして」

彼はレナーテの目元に滲《にじ》んだ涙を優しく掬《すく》いとった。

「誤解なきように申し上げておきますが、僕としては、君の髪や目が何色であろうといっこうに構わないのです。どんな色の人間もみな、いずれは朽《く》ち、色褪《いろあ》せていくだけのたんぱく質の塊《かたまり》に過ぎませんから。大切なのは精神なんです。それでも僕が君の容姿を変えたくなかったのは、君の髪や瞳の色を青くすることで君が晩餐会をやり過ごすことができたとしても、それでは根本的な解決にはならないと思ったからです」

「根本的な……解決？」

「はい。この先、君と同じように紅い髪、黄金《きん》の瞳をもつ人間はいくらでも生まれるでしょう。僕は君だけではなく、彼らの力にもなりたかった。紅い髪に黄金の瞳を持つ者が魔性《ましょう》だという聖典の記述になんの論拠《ろんきょ》もないことを、僕はどうしてもあの場で証明したかったのです」

「メル……」

彼がそんなことを思っていたなんて、少しも知らなかった。

レナーテは彼の優しく誠実なところに恋をしたけれど、正直なところ、彼については良くも悪くも、領主としての仕事や、研究のことしか頭にないような人だと思っていたのだ。

けれど、彼の瞳はもっと広く世間を見ていた。世の中の暗部や弱者から目を逸《そ》らさず、救いの手を差し伸べようとしている。

（本当は王子としての自覚があるから？　……いいえ、違う。彼が本当に温かい人だからだわ）

まるで初めて彼への恋心を自覚したときのように、心臓が高鳴った。

（わたし、メルのことが本当に好きなんだわ。もうとっくに彼に恋をしているのに、彼と喧嘩《けんか》をして仲直りするたびに、そして彼の新しい一面を見るたびに、もっと、ずっと好きになってしまう……）

レナーテが静かに自分の想《おも》いを噛《か》みしめていると、いきなりメルヒオールが言った。

「レナ、僕を殴《なぐ》ってください」

「え……」

レナーテは急に現実に返った。

怖くなって思わず彼から身を引いたら、そのぶんだけまた距離を詰められた。

「人の力になりたいなどといくら綺麗事を並べたところで、僕は君が賢く美しいのを良いことに、青薔薇の発表会の場で君を道具のごとく利用したことは事実なのですから」

「利用だなんて……大げさだし、わたしはそんな風に思っていない。あなたの志《こころざし》はとても立派だわ。あなたの気持ちに共感したのだから、わたしはあなたに利用されたのではなく、あなたに手を貸したの。そう思えばいいじゃない」

「……お優しい、レナ」

メルヒオールは虚《うつ》ろな目をして微笑《ほほえ》んだ。

「ですが、それでは僕の気が済まないんです」

「そう言われても……。わたしにはあなたを殴るなんて無理」

「それでは君が僕に心臓がとまるような罰を与えてくださるまで、僕はずっとこの寒空の下にいます」

レナーテは眉《まゆ》を下げた。

彼は確実に何かをこじらせてしまっている。

だが、きっとこれも彼に特有の『一種の病《やまい》』の症状のひとつなのだろう。

レナーテは彼の切実そうな瞳をしばらく無言で見つめてから、口をひらいた。

「わかったわ。……そこまで言うなら、あなたの望む通りにしてあげる」

それからレナーテは、感情を排した声で彼に指示した。

「きつく目を閉じていて。わたし、誰かをぶったことがないの。だから誤ってあなたの網膜《もうまく》を傷つけてしまうかもしれない。そこまであなたを痛めつけるのはわたしの本意ではないから」

レナーテができるだけ酷薄《こくはく》そうに言うと、彼は何も言わずにレナーテの要求に従った。

エメラルドの瞳が花貝のように薄い瞼《まぶた》に覆《おお》われると、レナーテは自分の左胸を押さえた。

深呼吸して、胸を鎮《しず》める。

レナーテは心を決めると、彼の肩に指を絡《から》め、背伸びした。

今度こそ、恥ずかしいからと言って逃げたりしない。

蒼白く澄んだ彼の頰《ほお》ではなく、睡蓮《すいれん》の花片《はなびら》のようなその唇《くちびる》に、レナーテは自分のそれをかさねた。

彼が息を詰めた気配を感じたあとで、レナーテは彼から離れた。

おそるおそる顔を上げてみると、メルヒオールは軽く目を瞠《みは》り、明らかに驚いた顔でレナーテを見つめていた。レナーテの行動をいつも読みあててしまう彼も、この展開は予想していなかったらしい。彼を叩《たた》かないことくらいは気がついていたかもしれないが、せいぜい頬をつねるだとか、その程度のことしかしてこないだろうと油断していたのだろう。

レナーテは赤く火照《ほて》った顔を隠すように彼から顔をそむけた。

「た、叩かれるよりも、ずっと心臓がとまりそうになったでしょう。い、……いい気味」

「まさかそれで悪女ぶっているおつもりですか。君は本当に可愛《かわい》いですね」

メルヒオールは淡々と感想を述べてから、こちらに手を伸ばしてきた。

常になく強引に腕を掴《つか》まれ、腰を引き寄せられる。

「……本当に可愛くてたまらない。大好きです。レナ」

彼は情熱を秘めた目をして囁《ささや》くと、レナーテの唇に、羽根で触れるように優しく口づけた。

森の木々から風に吹き流されてきた雪片《せっぺん》が、澄みきった青空をきらめかせる。

淡雪《あわゆき》は純白の春の花片《はなびら》のように、ふたりの上に静かに舞いおりてきた。

掌編　冬のある日の贈り物

雪曇りの日の昼下がりだった。メルヒオールが書斎で論文に目を通していると、机の下から黒いうさぎの耳がふたつ、ふいにひょっこりと現れた。

『告げ口しちゃお、告げ口しちゃお。人妻のレナーテが〜、これから〜、ポインセチアの花壇の前で〜、メルヒオールの弟子のリヒャルトと〜、密会しま〜す！』

告げ口妖精はメルヒオールにそれだけ告げてから、パチン！　と音を立てて消えた。

メルヒオールは書き物机の前から離れると、窓を覆《おお》うベルベットのカーテンを開けた。

折しも、眼下に見える庭園をレナーテが急ぎ足で歩いていた。彼女のほっそりとした肢体《したい》を包むのは、先日、自分が贈った襟《えり》の詰まった水色のドレスとエプロンである。桜の花片《はなびら》で染めたような薄紅《うすべに》色の髪は昨冬よりもだいぶ伸び、肩甲骨《けんこうこつ》の辺りでさらさらと揺れていた。

彼女を正式に妻に迎えてから一年が経《た》とうとしていた。

ポインセチアの花壇の前でレナーテが足をとめると、それとほとんど同時に、反対側からリヒャルトが駆けてきた。メルヒオールよりも三歳年少のリヒャルトは、子供らしくうっすらと頬《ほお》を紅《あか》くしながら上着のポケットに手を突っ込むと、一通の封書をレナーテに渡した。

受け取ったレナーテの顔が真珠色の花のようにほころんだ。ふたりは二言、三言、言葉を交わしたのち、それぞれもと来た道を引き返していった。

およそ十分後。明らかにビクビクした顔つきのリヒャルトが書斎に現れた。

「あの、先生。火急のご用件とおっしゃるのは……」

「君に訊《き》きたいことがあるんです」

リヒャルトを呼びつけたメルヒオールは、机の上で両手を組みつつ、さっそく切り出した。

「さっき君がレナにこっそりと渡していた書簡。あれはなんですか」

「ひっ、い、いったいどこからご覧になっていらっしゃったんですか」

「質問に質問で返すとは感心しませんが、まあ答えましょう。ポインセチアの花壇はこの書斎の窓から丸見えなんですよ。僕はここから、レナと接触する君の姿を凝視《ぎょうし》していました」

「……凝視」

「さあ、今度は君が答える番ですよ。君がレナに渡した手紙の内容を、いまここで、一言一句たがわずにそらんじてみなさい」

メルヒオールが暗い緑の瞳《ひとみ》を向けると、リヒャルトは観念したように口をひらいた。

「こ、小麦粉……」

「小麦粉？」

メルヒオールが眉《まゆ》をひそめたときだった。

「メル！」

ノックとほぼ同時に扉がひらき、頬を薔薇《ばら》色に上気させたレナーテが書斎に飛び込んできた。可愛《かわい》い妻は自分とリヒャルトを見くらべたあとで、気まずそうに頬を押さえた。

「お取り込み中だったのね。お話の邪魔をしてしまってごめんなさい」

妻の来訪に、メルヒオールは自然と口元に微笑が浮かぶのを自覚しつつ、席を立った。

「構いません。まったくもって、重要な話ではありませんでしたから」

恐縮したように立ち竦《すく》むレナーテに歩み寄ると、メルヒオールは優しく彼女の髪を撫《な》でた。極上の絹《きぬ》に触れているようだった。彼女はどこもかしこも柔らかく、なめらかだ。思わず唇《くちびる》を寄せたくなるような衝動と闘っていると、隅に控えていたリヒャルトが固い声で言った。

「奥様、申し訳ありません。僕が例のものを渡した瞬間を、先生に目撃されていました」

「まあ、本当？」

レナーテは黄金《きん》の瞳に、少しばかり残念そうな色を浮かべた。密会していたことを夫に明らかにされて、焦《あせ》るといった様子は微塵《みじん》もない。メルヒオールは猛烈な自己嫌悪に陥《おちい》った。ほんのひとときでも、告げ口妖精の言葉に翻弄《ほんろう》された自分を深く恥じた。とはいえ、手紙の内容は依然《いぜん》として気になっていた。リヒャルトがレナーテに手紙を贈る意義も必要性もわからない。

だからメルヒオールはレナーテの髪に触れつつ、リヒャルトに先を促《うなが》した。

「話が中断してしまいましたが、続きをどうぞ、リヒャルト」

「小麦粉一八〇グラム、砂糖が……えーと」

「いったいなんの話をしているの？」

戸惑《とまど》いを隠せない様子のレナーテに、メルヒオールは穏やかに微笑《ほほえ》んでみせた。

「リヒャルトが君に渡した手紙の内容を暗唱させているんです」

「？　なんのために？」

レナーテがぱちぱちとまばたきをすると、彼女の足元から、今度は真っ白な猫が音もなく姿を現した。そうして、告げ口妖精と同様に、余計なことを言った。

『この嫉妬《しっと》深い王子のことだから、おおかた、リヒャルトがあんたを手紙で口説《くど》き落とそうとしたとでも勘違《かんちが》いしたんだよ。まったく、病的に独占欲が強くて、恐ろしいったらないね』

「クラウディアったら。メルがそんなに短絡《たんらく》的な発想をするわけないいじゃない。ねえ、メル」

「短絡的……。え、ええ、もちろんです」

短絡的な発想をしていたメルヒオールは口ごもった。純真なレナーテはメルヒオールの心の淀《よど》みには気づいた風もなく、リヒャルトに向きなおった。

「リヒャルト、あなたにはこっそりと協力をお願いしてしまったけれど、勘の鋭いメルに秘密でことを進めるのは難しそうだから、わたし、いっそあの計画を話してしまうことにしたわ」

「そうですね、そうしていただけるとありがたいです。僕の身のためにも！」

リヒャルトが言うと、レナーテはエプロンのポケットから件《くだん》の手紙を取り出した。それを丁《てい》寧《ねい》に広げてから、メルヒオールに差し出してきた。メルヒオールが書面に目を落とすと、そこにはリヒャルトの筆跡《ひっせき》で『香辛料入りクッキー《シュペクラティウス》のレシピ』と見出しがつけられており、その下には確かに、小麦粉が一八〇グラムだの砂糖が五〇グラムだのと書かれていた。

「明日はメルのお誕生日でしょう？　贈り物は別に用意してあるのだけれど、メルが好きそうなお菓子を焼いてみたかったの。それでいつもメルの傍《そば》にいるリヒャルトに訊いたら、メルは王立大学で降誕祭の時期にだけ売られるシュペクラティウスがお気に入りなんですってね」

「確かに、冬の研究室にはなんとなく常備しています」

「だからここでも作れないかと思って、レシピを調べてきてもらったの」

メルヒオールは妻のいじらしさに、胸に熱が広がっていくのを感じた。

「君という人は、どうして……」

こらえきれずに、リヒャルトとクラウディアの存在も忘れ、レナーテをきつく抱きしめた。桜色の髪に顔を埋《うず》めると、甘い花の芳香《ほうこう》が香った。いっそうたまらない気持ちになる。

「どうして、やることなすこと全部可愛いんですか」

「リヒャルトのことも褒《ほ》めてあげて。リヒャルトも先生に喜んでほしくてはりきっていたの」

「あ、いいですいいです、奥様！」

自分によってよく躾《しつ》けられた弟子は、空気を読んで素早く言った。

「僕は先生に抱きしめられてもちっとも嬉《うれ》しくな……ゲフンゲフン、じゃあ僕はこれで……」

リヒャルトはもうひとりのお邪魔虫であるクラウディアを抱き上げると、そそくさと書斎を出ていった。それを視界の端にとどめながら、メルヒオールは腕の中のレナーテに訊いた。

「そういえば、君もここに来たとき慌《あわ》てていらっしゃいましたが、なにかあったのですか」

するとレナーテは弾《はじ》かれたように顔を上げた。

そうして、彼女にしては昂奮《こうふん》した口調で、メルヒオールに喜ばしい報告をしたのだった。

「そうなの。大変なの、メル！　カミルがはじめて笑ったの！」

メルヒオールの手をレナーテが摑《つか》んだ。

そのままメルヒオールは彼女にぐいぐいと引っ張られて、寝室に連れてゆかれた。

夫婦の寝室ではヘンゼルとグレーテルが音の鳴る玩具《おもちゃ》やぬいぐるみを使って、ゆりかごの中の赤ん坊をあやしていた。メルヒオールが近づいてゆりかごの中を覗《のぞ》きこんでみると、黒髪に緑の瞳をした赤ん坊が行儀よくおさまっている。そこまではすでに見慣れた光景であったが、ふた月前にレナーテが生みおとした愛息は、今朝までの無表情を一変させてころころと笑っていた。ヘンゼルとグレーテルは、夫婦水入らずだと密《ひそ》やかに言葉を交わしながら退出した。
レナーテが愛息――カミルの頰をつつくと、カミルはますます上機嫌《じょうきげん》そうに頰を緩《ゆる》めた。

「ふふ。お父様が来てくれて喜んでいるのね」

「そうですか。僕が来て嬉しいですか」

メルヒオールはまんざらでもない気分になって、カミルをゆりかごの中からひょいと抱き上げた。とたん、カミルは目にいっぱい涙を溜《た》めてぐずりはじめた。メルヒオールは焦ったが、こういうときのレナーテは実に頼もしかった。ただおろおろするだけの自分からカミルを引きとると、あっという間にカミルを泣きやませてしまった。

メルヒオールはなかば諦《あきら》めにも似た境地で呟《つぶや》いた。

「……まあ、こんなものでしょうね。所詮《しょせん》、子供にとって、父親なんて」

「拗《す》ねているの？　でも男の子だもの、そのうちメルとカミルのほうが仲良くなって、母親のわたしをのけ者にするんだわ」

少しいじけたように口にするレナーテは、それはそれは愛らしい以外の何物でもなかった。

「僕はむしろ君をめぐって我が子と攻防を繰り広げる自分の姿しか思い浮かびませんが」

レナーテはくすくすと笑った。どうやら冗談かなにかだと思っているらしい。

「レナ。君は明日の僕の誕生日の贈り物に心を砕いてくれていましたが、僕はもう充分すぎるほどのものを君からもらいました。愛《いと》しい君と、愛しい子供。かつて一生かけて望んでも手に入らないと思っていた家族を、君は僕に与えてくれた。あとは僕が君に返していくだけです。……レナ、欲しいものがあればなんでも言ってください。すべて差し上げますから」

「わたしもこのうえ望むものはないけれど……カミルに弟か妹ができればいいと思うわ」

それならば、生物の発生から養育、教育に至るまで協力は惜しまないつもりだった。メルヒオールが無言で考えこんでいる横で、レナーテは腕に抱いた愛息に微笑んで同意を求めた。

「ねえ、カミルもそう思うでしょう?」

すると、きゃっきゃっと笑っていたカミルは急に笑みを消した。――さもありなん、とメルヒオールは思った。この愛息は、容姿ばかりでなく性格まで自分に似てしまったのだろう。

「弟か妹に君を独占されたくないんでしょうね。でも無駄ですよ、カミル」

レナーテに優しく抱かれる愛息に、メルヒオールは敵愾心《てきがいしん》もあらわに言った。

「レナと僕の希望によって、おまえには遠からずきょうだいができる。……これはもう夫婦の間での決定事項です。僕だっていままで独り占めしてきたレナをしぶしぶおまえと譲り合ってやっているんですから、おまえも早く僕と同じ気持ちを味わえばいいんだ」

「もう!　メルはすぐにそういう怖い冗談を言うから、カミルがぐずるのよ」

頬を淡く染めて怒るレナーテもまた、可愛い以外の何物でもなかった。しかしそれを言えばレナーテが口を利《き》いてくれなくなりそうなので、メルヒオールは素直に謝罪した。

「……反省します」

愛息を懐柔《かいじゅう》することが、ひいては息子贔屓《びいき》のレナーテの気をひくことになる。メルヒオールはそう判断し、まずはカミルの頭に口づけてから、レナーテの頬に唇を寄せた。

あとがき

このたびは数ある本の中から本書をお手にとっていただき、誠にありがとうございます。『魔女が死なない童話《メルヒエン》』の前後編は、「りんごの魔女の診療簿《カルテ》」というタイトルで雑誌コバルトに掲載していただいた小説でした。もともと文庫化を想定していなかったために、前後編で、主人公二人はすでに結ばれているのですが、前後編ではやや不足ぎみであった糖分を文庫版にて補うべく、甘い（と思われる）番外編を書きおろしました。

掌編《しょうへん》は入稿後に、「あとがきと広告のページを減らし、そのぶん小説を書きたいです」という無理めな要望を担当様に聞き届けていただき、急きょ書いたお話でしたが、執筆中は万感胸にこみあげてくるようでした。むつまじい夫婦があらたな命とともに、これから先もずっと、光に包まれたように温かい家庭を築いていってくださることを、心からお祈りします。

儚《はかな》げで美しく、ときに艶《つや》やかで麗《うるわ》しいイラストを描いてくださった宵《よい》マチ先生。数えきれないほどお世話になりました担当様に、深く感謝致します。そして本書をお読みくださった読者の皆様方。本当にありがとうございました。またいつか、お目にかかれますように。

二〇一六年　五月　　長尾彩子

※この作品はフィクションです。実在の人物・団体・事件などにはいっさい関係ありません。

ながお・あやこ

9月6日生まれ。東京都出身・在住。乙女座のO型。「にわか姫の懸想」で、2010年度ノベル大賞受賞。コバルト文庫に『姫君の妖事件簿』シリーズ、『乙女風味百鬼夜行』、『うさぎ姫の薬箱』シリーズ、『朧月夜の訪問者』、『黒猫と伯爵令息』がある。好きな食べ物はたい焼き（カスタード）。趣味は鉱石収集と古都めぐり。和雑貨とご当地限定グッズ、特にゆるキャラものには目がない。

魔女が死なない童話《メルヒェン》

林檎の魔女の診療簿《カルテ》

COBALT-SERIES

2016年７月10日　第１刷発行
2016年10月31日　第３刷発行

★定価はカバーに表示してあります

著者　長尾彩子
発行者　北畠輝幸
発行所　株式会社　集英社
〒101－8050
東京都千代田区一ツ橋２—５—10
電話　【編集部】03-3230-6268
【読者係】03-3230-6080
【販売部】03-3230-6393（書店専用）
印刷所　図書印刷株式会社

© AYAKO NAGAO 2016　Printed in Japan
造本には十分注意しておりますが、乱丁・落丁（本のページ順序の間違いや抜け落ち）の場合はお取り替え致します。購入された書店名を明記して小社読者係宛にお送り下さい。送料は小社負担でお取り替え致します。但し、古書店で購入したものについてはお取り替え出来ません。なお、本書の一部あるいは全部を無断で複写複製することは、法律で認められた場合を除き、著作権の侵害となります。また、業者など、読者本人以外による本書のデジタル化は、いかなる場合でも一切認められませんのでご注意下さい。

ISBN978-4-08-608008-8 C0193

コバルト文庫　オレンジ文庫

「ノベル大賞」
募集中！

小説の書き手を目指す方を、募集します！

女性が楽しめるエンターテインメント作品であれば、どんなジャンルでもＯＫ！

恋愛、ファンタジー、コメディ、ミステリ、ホラー、ＳＦ、etc……。

あなたが「面白い！」と思える作品をぶつけてください！

この賞で才能を開花させ、ベストセラー作家の仲間入りを目指してみませんか!?

大賞入選作
正賞の楯と副賞300万円

準大賞入選作
正賞の楯と副賞100万円

佳作入選作
正賞の楯と副賞50万円

【応募原稿枚数】

400字詰め縦書き原稿100～400枚。


【しめきり】

毎年1月10日（当日消印有効）

【応募資格】

男女・年齢・プロアマ問わず

【入選発表】

WebマガジンCobalt、オレンジ文庫公式サイト、および夏ごろ発売の文庫挟み込みチラシ紙上。入選後は文庫刊行確約!

（その際には、集英社の規定に基づき、印税をお支払いいたします）

【原稿宛先】
〒101-8050　東京都千代田区一ツ橋2-5-10
（株）集英社　コバルト編集部「ノベル大賞」係

※応募に関する詳しい要項およびWebからの応募は
公式サイト（cobalt.shueisha.co.jp）をご覧ください。